SPACEBOY

David Walliams

SPACEBOY

Illustriert von
Adam Stower

Aus dem Englischen
von Bettina Münch

Rotfuchs

Die englische Originalausgabe erschien 2022
unter dem Titel «Spaceboy» bei
HarperCollins*Publishers* Ltd, London.

Deutsche Erstausgabe
Erschienen bei Rotfuchs
Copyright für die deutsche Übersetzung © 2024 by
Fischer Kinder- und Jugendbuch Verlag GmbH,
Hedderichstraße 114, D-60596 Frankfurt am Main
«Spaceboy» Copyright © 2022 by David Walliams
Cover-Lettering des Autorennamens
Copyright © 2010 by Quentin Blake
David Walliams und Adam Stower
sind als Autor und Illustrator dieses Buches
urheberrechtlich geschützt
Lektorat Sophie Härtling
Satz aus der Dante MT
durch Konstantin Kleinwächter
Druck und Bindung CPI books GmbH, Leck
ISBN 978-3-7571-0004-9

Für Alfred

Meine Liebe zu dir ist größer als das Universum.

Dad

DANKESCHÖNS

ICH BEDANKE MICH BEI:

CALLY POPLAK
Verlegerin

CHARLIE REDMAYNE
CEO

ADAM STOWER
Illustrator

PAUL STEVENS
Literarischer Agent

NICK LAKE
Lektor

KATE BURNS
Layouterin

VAL BRATHWAITE
Kreativdirektorin

ELORINE GRANT
Leitende Grafikerin

MATTHEW KELLY
Leitender Grafiker

SALLY GRIFFIN
Grafikerin

GERALDINE STROUD
PR-Direktorin

TANYA HOUGHAM
Audioredakteurin

ALEX COWAN
Marketingleiter

David Walliams

In den 1960er-Jahren verfolgte die ganze Welt gebannt den Wettlauf ins All. Die beiden Supermächte, Amerika und Russland, kämpften darum, die Ersten zu sein: als Erste eine Rakete in den Weltraum zu schießen. Als Erste die Erde zu umkreisen. Als Erste einen Hund ins All zu befördern. Als Erste einen Menschen ins All zu schicken. Als Erste auf dem Mond zu landen. Der Lohn dafür war gigantisch: die Herrschaft über den Weltraum selbst.

Unsere Geschichte spielt in den frühen 60er-Jahren, in einem staubigen alten Farmerstädtchen im Mittleren Westen Amerikas. Einem Ort, an dem nie etwas passiert – na gut, bis zu diesem unglaublichen ABENTEUER...

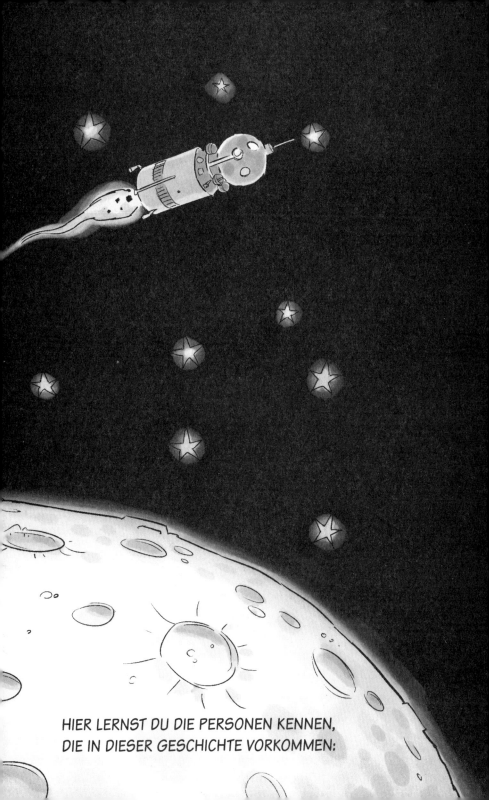

HIER LERNST DU DIE PERSONEN KENNEN,
DIE IN DIESER GESCHICHTE VORKOMMEN:

RUTH

Ruth ist eine zwölfjährige Waise und vom Weltraum regelrecht besessen. Sie bleibt die ganze Nacht auf, um aus dem Fenster ihrer winzigen Dachkammer im Farmhaus ihrer Tante die Sterne zu beobachten.

JURI

Juri ist Ruths dreibeiniger Hund, den sie nicht weit von der Farm entfernt auf der Straße aufgelesen hat. Sie benannte ihn nach ihrem Helden, dem russischen Kosmonauten Juri Gagarin. Gagarin war als erster Mensch im Weltraum gerade weltberühmt geworden.

TANTE DOROTHY

Tante Dorothy hatte viele Jahre allein auf ihrer staubigen alten
Straußenfarm gelebt, bis eines Nachts ihre entfernte Verwandte
Ruth vor ihrer Tür stand. Tante Dorothy nahm das Waisen-
mädchen widerwillig bei sich auf, aber Ruth muss seitdem auf
ihrer Farm schuften. Tante Dorothy sieht aus wie ein Krokodil
und schnappt auch wie eines zu.

DER SHERIFF

Der donutsüchtige Sheriff sehnt sich schon sein gesamtes
Polizistenleben lang nach Aufregung. Allerdings drehen sich
in dieser kleinen Stadt im amerikanischen Mittelwesten die
spannendsten Notrufe um Katzen, die auf Bäumen festsitzen, um
gestohlene Eimer und vermisste Schuhe. Doch all das ändert sich
mit der Ankunft eines Wesens aus einer anderen Welt.

DER PRÄSIDENT

Der Präsident der Vereinigten Staaten von Amerika mag der mächtigste Mann auf dem Planeten sein und Tag und Nacht von Geheimdienstleuten bewacht werden, aber er ist trotzdem ein alberner kleiner Mann. Er ist unglaublich eingebildet, sieht immer dunkelbraun gebrannt aus und trägt eine lächerliche orangefarbene Perücke. Der Präsident interessiert sich nur für sich selbst, und alles soll sich nur um ihn drehen, selbst wenn gerade ein Alien auf der Erde landet.

MAJOR MAJORS

Dieser große, breitschultrige Mann sieht aus wie ein in die Jahre
gekommener Filmstar. Er ist der höchstdekorierte Soldat in
der Geschichte des US-Militärs und wurde zum Oberboss von
Amerikas streng geheimer Geheimbasis ernannt. Dort wird der
Himmel überwacht und nach UFOs (unbekannten Flugobjekten)
Ausschau gehalten.

Die streng geheime Geheimbasis liegt tief unter der Erde,
mitten in einer Wüste. Der Ort ist so geheim, dass niemand
weiß, dass er überhaupt existiert! Das heißt, niemand außer dem
Präsidenten und Major Majors natürlich (sonst würde er morgens
nicht an seinen Arbeitsplatz finden).

DR. SCHOCK

Dr. Schock ist halb Mensch, halb Maschine. Während des Zweiten
Weltkriegs arbeitete der superschlaue Wissenschaftler für die
Deutschen. Damals war er noch ganz Mensch und keine Maschine,
aber dann jagte er sich bei der Konstruktion einer Superrakete
eines Nachts selbst in die Luft. Zwanzig Jahre später ist Dr. Schock
der Leiter des im Niedergang befindlichen amerikanischen Raum-
fahrtprogramms und kommandiert Raketentüftler herum.

DIE RAKETENTÜFTLER

Die Raketentüftler sind versponnene Geheimwissenschaftler, die bei der NASA (der Nationalen Aeronautik- und Raumfahrtbehörde) arbeiten. Und diese speziellen Weltraumtüftler sind die vertüfteltsten Tüftler in der Geschichte des Tüftlertums.

UND SCHLIESSLICH ...

SPACEBOY

Eine geheimnisvolle Gestalt in einem silbernen Raumanzug, mit Stiefeln, Handschuhen, Umhang und verspiegeltem Helm. Spaceboy spricht mit geisterhafter Stimme, und das Gesicht ist unter dem Helm vollständig verborgen.

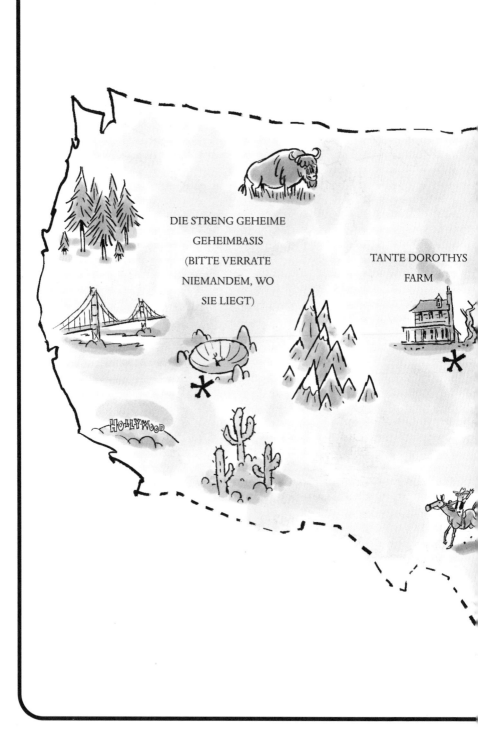

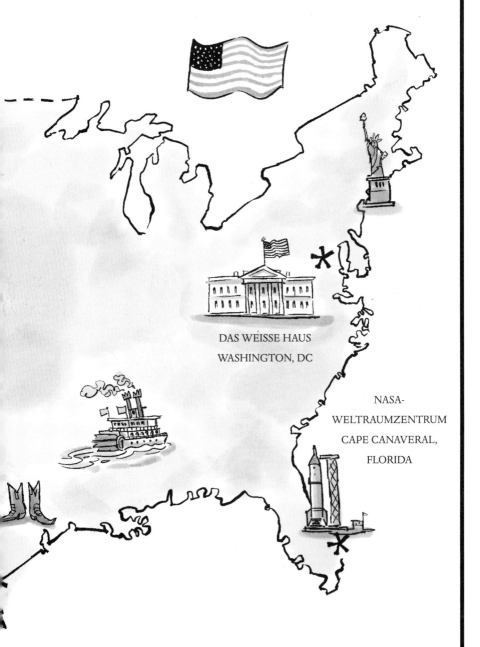

KARTE VON AMERIKA

DAS WEISSE HAUS
WASHINGTON, DC

NASA-
WELTRAUMZENTRUM
CAPE CANAVERAL,
FLORIDA

ERSTER TEIL

LEBEN AUF DEM MARS

1. KAPITEL

TRÄUME

Ein Blitz zuckte über den nächtlichen Himmel. In der Dachkammer des *windschiefen* Farmhauses, das sie ihr Zuhause nannte, wandte ein Mädchen namens Ruth den Blick von ihrem Teleskop ab. Sie rieb mit einem schmuddeligen kleinen Finger ihr schmuddeliges kleines Auge.

Sie träumte doch bestimmt.

Nein.

Da oben war wirklich etwas, das sich rasend schnell drehte und einen Feuerstrahl hinter sich herzog. Was immer es auch war, es brannte!

WOMP!

Konnte das ein Flugzeug sein?

Nein, Flugzeuge drehten sich nicht so.

Ein Hubschrauber vielleicht?

Nein, für einen Hubschrauber war es viel zu schnell.

Oder eine Sternschnuppe?

Nein, für eine Sternschnuppe flog es zu tief.

Es war ein **UFO**. Ein unbekanntes Flugobjekt!

Und was noch schlimmer war: Es kam unglaublich schnell näher und war im Begriff, auf die Erde zu stürzen!

Das war der aufregendste Moment von Ruths kurzem Leben.

Ruth war eine Waise. Sie kam aus einer bettelarmen Familie, und ihre Eltern waren beim Goldschürfen gestorben. Die beiden hatten sich für ihre geliebte Tochter ein besseres Leben gewünscht, waren jedoch ums Leben gekommen, als die Mine, in der sie arbeiteten, einstürzte. Es war ein grausames Ende, denn sie wurden lebendig begraben.

Davor war Ruth mit ihren Eltern auf der Suche nach Arbeit von einem Bundesstaat in den nächsten gezogen. Die Nächte hatten sie auf der Ladefläche ihres alten Pritschenwagens verbracht, wo Ruth warm eingekuschelt zwischen ihren Eltern lag. Ruth besaß nichts und doch **alles**, denn ihre Eltern liebten sie sehr. Jeden Abend schlief das kleine Mädchen unter dem Sternenzelt ein.

Doch am Ende war Ruth von ihren geliebten Eltern nichts geblieben als Erinnerungen: an die sanften

Küsse ihrer Mutter. Und an das besondere *Lächeln,* das ihr Vater nur ihr geschenkt hatte.

Der Pritschenwagen wurde verkauft, um die Kosten für die Beerdigung zu decken, und Ruth schickte man zu ihrer einzigen lebenden Verwandten. Auf dem Schild, das sie um den Hals trug, stand:

BITTE KÜMMERN SIE SICH UM DIESE WAISE

Nachdem sie tagelang, meist zu Fuß, unterwegs gewesen war, stand Ruth an einem stürmischen Abend schließlich vor der Haustür ihrer Tante Dorothy. Die beiden waren sich noch nie zuvor begegnet. Die alte Frau hatte keine eigenen Kinder, und das aus gutem Grund.

Sie konnte Kinder nämlich nicht ausstehen.

In Tante Dorothys Augen waren alle Kinder widerliche Wesen mit dreckigen Händen, Rotznasen und Hummeln im Hintern.

Das Einzige, was Tante Dorothy mit Ruth anfangen konnte, war, sie auf ihrer **Straußen**farm sofort an die Arbeit zu schicken. Und so musste Ruth von früh bis spät **Straußen**ställe ausmisten, ehe sie eine ellenlange Liste mit Aufgaben bekam, die sie abends im Farmhaus zu erledigen hatte.

RUTHS AUFGABENLISTE
VON TANTE DOROTHY

DEN FUSSBODEN WISCHEN

DIE TOILETTEN SCHRUBBEN

MEINE HAARE AUS DER HAARBÜRSTE ZUPFEN

IM GANZEN HAUS VON OBEN
BIS UNTEN STAUB WISCHEN

DEN VERSTOPFTEN AB-
FLUSS REINIGEN

DAS DACH REPARIEREN

MEINE SOCKEN WASCHEN

DEN SCHORNSTEIN SAUBER MACHEN

DIE SPINNWEBEN WEGFEGEN

UND ALS BESONDERE BELOHNUNG:
DEINER GELIEBTEN TANTE DIE
ZEHENNÄGEL SCHNEIDEN

Ruths Tage waren öde. Sie ging nicht zur Schule. Sie hatte keine Freunde. Sie hatte praktisch kein Leben. Alles, was sie hatte, waren ihre **TRÄUME**.

Abend für Abend trottete Ruth, nachdem sie endlich ihre Hausarbeiten erledigt hatte, die wackelige Stiege hinauf in ihre winzige Dachkammer. Dort ließ sie sich auf das quietschende Bett fallen und dachte an ihre Eltern. Wie anders ihr Leben doch wäre, wenn es sie noch gäbe. Mit aller Kraft versuchte Ruth, die beiden in ihren Gedanken lebendig zu halten. Sie ging alle ihre Erinnerungen durch, als würde sie die Seiten eines Fotoalbums umblättern – obwohl sie kein einziges Foto von ihnen besaß. Dafür waren sie zu arm gewesen.

Ruths kluger kleiner Hund, der dreibeinige Juri, spürte, wenn sie traurig war. Dann nahm er jedes Mal Anlauf, sprang auf ihr Bett und kuschelte sich an sie.

«WAU!»

«Ich liebe dich, kleiner Juri», flüsterte Ruth in solchen Momenten und kraulte ihn hinter den Ohren. «Du bist alles, was ich habe.»

Es war ein Glück für Ruth, dass es Juri gab, und es war ein Glück für Juri, dass es Ruth

gab. Sie hatte den armen kleinen Kerl auf der Straße nahe der Farm gefunden. Irgendein Rohling musste den Welpen überfahren, sein Bein unter den Reifen seines Fahrzeugs zerquetscht und dann Gas gegeben haben, im Glauben, er sei tot.

Als Ruth den armen Welpen entdeckte, hatte sie ihn sofort aufgehoben und zum Farmhaus gebracht. Dort pflegte sie ihn, allen Widrigkeiten zum Trotz, wieder gesund. Das linke Hinterbein des Hundes war nicht mehr zu retten gewesen, aber Ruth hatte ihm aus einem alten Schneebesen und einem Ledergürtel ein neues gebastelt. Wenn er es angelegt hatte, konnte er Ruth leichter über den Hof folgen, während sie ihre Aufgaben erledigte. Da sie nicht wusste, ob der Hund schon einen Namen hatte, gab Ruth ihm einen neuen.

Juri.

Ruth benannte ihn nach ihrem Helden, dem gut aussehenden russischen Kosmonauten **JURI GAGARIN**. Dieser hatte gerade welt-

weit Schlagzeilen gemacht, weil er als erster Mensch ins All geflogen war. Es war die Schlagzeile des Jahrhunderts.

Ruth hatte die Titelseiten sämtlicher alter Zeitungen und Zeitschriften, die über seinen Weltraumflug mit der russischen Rakete **WOSTOK 1** berichteten, aus Tante Dorothys Mülltonne gerettet und an die kahlen Wände ihrer Dachkammer geheftet. Sie hatte Bilder von **GAGARIN** im Weltraum, Bilder von seiner sicheren Landung zurück auf der Erde – und sogar ein Bild, auf dem er für seine unglaubliche Tapferkeit die höchste russische Auszeichnung, eine Ehrenmedaille, erhielt. Praktischerweise bedeckten die Zeitungsseiten alle Flecken, Risse und bröckelnden Putzstellen an den Wänden, während sie gleichzeitig einen Ort des Gedenkens für Ruths Helden schufen. *Was für ein* ABENTEUER, *Gagarin zu sein,* dachte Ruth, *er saust rund um unseren Planeten, während ich mich mit den Zehennägeln meiner Tante abplage.* Ruths Leben war so weit von einem ABENTEUER entfernt, wie man es sich nur vorstellen konnte.

Bis zu diesem Abend!

2. KAPITEL

DER DUNKLE VORHANG

Beim Graben nach Knochen hatte Juri (der Hund, nicht der Kosmonaut) eines Nachmittags auf der Farm ein ramponiertes Teleskop ausgebuddelt. Es war bestimmt mehr als hundert Jahre alt, vielleicht hatte es einem gefallenen General im amerikanischen Bürgerkrieg gehört. Juri nahm das Teleskop ins Maul, trug es zu seinem Frauchen und wedelte so stolz mit dem Schwanz, als hätte er gerade einen Super- knochen ausgegraben. Ruth reinig- te und reparierte das Teleskop und hatte es in mühevoller Kleinarbeit nach vielen Monaten wieder so ein- satzfähig gemacht, dass sie damit kilometer- weit sehen konnte. Das Teleskop wurde zu einer

Fluchtmöglichkeit, die ihr Einblicke in eine Welt gewährte, die weit über ihre eigene hinausging.

Jede Nacht suchte Ruth von ihrer winzigen Dachkammer ganz oben in Tante Dorothys WIND-SCHIEFEM Farmhaus aus den Himmel ab.

Der dunkle Vorhang, der Nacht für Nacht über der Erde hing, faszinierte sie.

Wenn sie ein Auge an das Ende ihres Teleskops presste, sah Ruth blinkende Lichter, Sternschnuppen, fliegende Umrisse, unerklärliche Schatten und noch viel, viel mehr. Bald kannte sie die Anordnung der Sterne am Nachthimmel besser als ihre eigenen Gesichtszüge. Und jede Nacht, wenn sie die Augen keine Sekunde länger offen halten konnte, fiel Ruth ins Bett und träumte denselben Traum. Einen Traum, in dem sie die grausame Welt, in der sie lebte, hinter sich ließ und mit einer **RAKETE** ins All flog.

WOMM!

Während sie in den Himmel über der Straußen-farm hinaufschoss, winkte sie ihrer bösen Tante Dorothy grinsend ein letztes Mal zu. Dann sausten sie und ihr Hund Juri durch das Sonnensystem.

WUSCH!

Sie segelten an Mars, Jupiter, Saturn, Uranus und Neptun vorbei. Als Nächstes *SAUSTEN* sie aus dem Sonnensystem heraus, um unsere Galaxie, die Milchstraße, weiter zu erforschen. Unsere Sonne ist innerhalb der Milchstraße nur einer von Milliarden Sternen, von denen einige wiederum das Zentrum

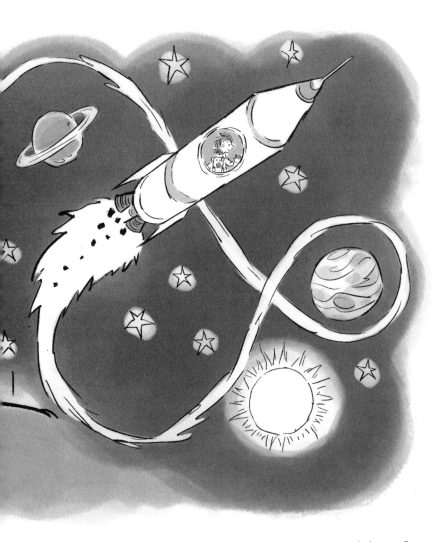

eines eigenen Sonnensystems bilden. Die Milchstraße wiederum ist nur eine von **Milliarden** Galaxien im Universum. Und das Universum dehnt sich ständig weiter aus, sodass es unendlich viel Weltraum zu erforschen gibt.

Ein bisschen Proviant war also **unbedingt** notwendig.

In diesem Moment saß Ruth also in ihrem Zimmer, betrachtete durch ihr Teleskop das **UFO** und fragte sich, ob es vielleicht ein Traum war. Sie zwickte sich.

«Au!», rief sie.

Nein, es geschah wirklich. Ein brennendes **UFO** fiel gerade vom Himmel. Inzwischen war es so nah, dass Juri es ebenfalls sehen konnte. Er sprang von Ruths Bett, spähte aus dem Fenster und begann wild zu bellen.

«WAU! WAU! WAU!»

«Pst, Juri!», flüsterte Ruth. «Sonst weckst du Tante Dorothy auf!» Es war bereits nach Mitternacht, und die Tante schlief im Zimmer direkt unter ihnen.

«WAU! WAU! WAU!»

«PSSST! Du bleibst hier, Juri!», flüsterte Ruth. «Ich muss mir das Ding genauer ansehen!»

Der kleine Hund schüttelte besorgt den Kopf, während Ruth aus dem *WINDSCHIEFEN* Fenster auf der Vorderseite des Hauses kletterte. Sie hielt dabei die uralte Box-Kamera ihrer Tante umklammert, die sie genau für eine Gelegenheit wie diese unter ihrem Bett versteckt hatte.

Als Ruth sie fand, lag die Kamera verstaubt ganz oben auf einem Regal, deshalb hatte sie beschlossen, dass es in Ordnung sei, sie «auszuleihen». Das Mädchen war nicht dumm. Sie wusste genau, dass ihre Tante Nein sagen würde, wenn sie fragte, also hielt sie es für das Beste, gar nicht erst zu fragen!

LOGISCH!

In null Komma nichts war Ruth mit der Kamera aufs Dach geklettert. Das Dach war genauso *WINDSCHIEF* wie der Rest des Hauses. Ruth trug nur ihren Schlafanzug und keine Schuhe. Eine falsche Bewegung, und sie konnte hinunterstürzen.

Und es ging wirklich sehr tief hinab.

Entschlossen, eine Stelle zu finden, von der aus sie das Flugobjekt besser sehen konnte, kletterte sie bis hinauf zu dem *WINDSCHIEFEN* Schornstein. Sie packte ihn, um sich daran festzuhalten, doch in diesem Moment schlug das **UNGLÜCK** zu! Der Ziegelstein in ihrer Hand brach ab.

K_{RACK}S!

Ruth begann zu schwanken und kippte hintenüber.

«WOAH!»

3. KAPITEL

EINE FLIEGENDE UNTERTASSE
IN FLAMMEN

Wie ein Vogel **Strauß** beim Versuch zu fliegen ruderte Ruth verzweifelt mit den Armen. Sie klammerte sich mit den Zehen am Dach fest. Ihre Eltern waren zu arm gewesen, um ihr Schuhe zu kaufen, deshalb hatte sie im Laufe der Zeit regelrechte Affenfüße entwickelt, mit denen sie sich gut festhalten konnte.

«PUH!», rief sie aus.

Sie war noch am Leben.

Vom Dach des Farmhauses konnte Ruth in jede Himmelsrichtung meilenweit sehen. Riesige Vierecke mit goldgelbem Weizen erstreckten sich, so weit das Auge reichte, dazwischen standen nur hier und da ein paar Bäume oder Scheunen. Mit ihren freien Händen hantierte Ruth mit der Kamera ihrer Tante herum.

Das **UFO** kam jetzt direkt auf sie zu.

WUSCH!

Ruths Herz klopfte wie wild.

BA-DUMM! BA-DUMM! BA-DUMM!

Es war aufregend und beängstigend zugleich. Sie hielt sich die Kamera vors Gesicht und stellte die Linse scharf.

SURR!

Das Bild wurde scharf.

Ruth schluckte.

Das war nicht einfach nur ein **UFO**.

Es war eine fliegende Untertasse!

Sie hatte fliegende Untertassen schon auf den Titelseiten von Comic-Heften gesehen, die sie nicht

kaufen konnte, und auf Plakaten von Kinofilmen, in die sie nicht hineingehen konnte. Sie war zu arm für solche Annehmlichkeiten des Lebens. Aber sie wusste eines:

Fliegende Untertassen kamen **nicht** von der Erde.

Das hier war ein **außerirdisches** Raumschiff!

In diesem Ding saß ein Besucher aus einer anderen Welt!

Die fliegende Untertasse war ein ramponiertes rundes Metallding, das sich mit beängstigender Geschwindigkeit drehte. Auf dem wirbelnden Kreisel war eine Kapsel, die wie eine umgestülpte Glasschüssel aussah. Und in dieser Kapsel saß eine geheimnisvolle Gestalt in einem silbernen Raumanzug und mit einem hohen Helm. Die Gestalt musste einen wirklich langen Kopf haben.

BEÄNGSTIGEND!

Ruths Hände zitterten so sehr, dass sie einfach nicht auf den Auslöser der Kamera drücken konnte. Dann war es zu spät. Die fliegende Untertasse sauste über sie hinweg.

WUSCH!

Die Unterseite des Raumschiffs schrammte über den Schornstein.

45

KNIRSCH!

Steinsplitter flogen in alle Richtungen.

BÄNG!

Einer davon knallte Ruth an den Kopf …

BONG!

… und warf sie auf der Stelle um.

DONG!

Tante Dorothys Kamera fiel ihr aus der Hand.

PLONG!

Sie rutschte das Dach hinunter.

KLICK! KLACK! KLONK!

Ruth krabbelte hinterher, um sie zu retten. Sie streckte die Hand aus, aber da prallte die Kamera vom Rand des Daches ab und zerschellte unten auf dem Boden.

KRACKS!

«NEIN!», schrie Ruth, als sie das Gerät in Stücke fliegen sah.

Zu allem Unglück spürte sie unter ihrem Fuß das Knacken eines Dachziegels.

KNACK!

Sie verlor den Halt und fiel …

«WOAH!»

… nach vorn.

PLUMPS!

Das Dach war steil, und Ruth rutschte mit dem KOPF VORAN hinunter.

«HILFE!», schrie sie, obwohl ihr in diesem Moment niemand helfen konnte.

Mit ausgestreckten Armen sauste sie über die Dachkante.

Noch im Fallen erinnerte sich Ruth an ihre **AFFEN-FÜSSE.**

Ihre treuen Zehen schafften es gerade noch, die Dachrinne zu packen. «PUH!», schnaufte Ruth, als sie wie eine Fledermaus vom Dach baumelte.

Sie schwang sich nach vorn, bis sie mit dem Kopf gegen die Fensterscheibe ihrer Dachkammer stieß.

KLONG!

Juri hatte die ganze Zeit aus dem vorderen Fenster gestarrt, aus dem Ruth hinausgeklettert war, aber bei dem Krach drehte er sich um.

Da Ruth das Fenster von außen nicht öffnen konnte, gab sie Juri ein Zeichen, ihr zu helfen.

Der Hund trippelte hinüber und stupste mit der Nase gegen den Riegel.

QUIETSCH!

«Ich danke dir, Juri!», flüsterte Ruth, ehe sie sich in die Dachkammer zog und auf den Boden fiel.

PLUMPS!

Erleichtert darüber, dass sein Frauchen am Leben war, leckte ihr Juri mit seiner rauen Zunge das Gesicht ab.

SCHLECK! SCHLECK! SCHLECK!

«Schon gut, Juri! Braver Junge», sagte Ruth, als sie den Hund beiseiteschob. Sie rappelte sich auf und schaute aus dem Fenster, durch das sie gerade hereingeklettert war. In der Ferne sah sie die fliegende Untertasse in das entlegenste Feld der Farm stürzen.

KRACH!

Eine riesige Staubwolke stieg auf.

WOMP!

«Oh nein!», stammelte Ruth fassungslos.

Sie ließ sich auf ihr Bett fallen und zog ihre Stiefel an.

«Komm, Juri», sagte sie. «Wir müssen nach Überlebenden suchen.» Sie stand auf.

Der kleine Hund folgte ihr.

Als Ruth die Tür öffnete, wartete auf der anderen Seite eine dunkle Gestalt auf sie.

«Wo willst du hin?», fauchte die Gestalt.

4. KAPITEL

DAS ALTE KROKODIL

Nirgendwohin», sagte Ruth, die betreten im Tür-rahmen stand.

«Lüg mich nicht an, RUUS!», donnerte die Stimme.

Tante Dorothy hatte eine ganz besondere Art, Ruths Namen auszusprechen.

Sie sagte niemals «Ruth», sondern immer «RUUS».

Oder wenn sie schimpfte: «RUUUS».

Und manchmal, wenn Tante Dorothy richtig wütend war, rief sie auch: «RUUUUUUUUUUS!»

«Ehrlich. Ich gehe nirgendwohin», beteuerte Ruth. Auch wenn diese Aussage auf Ruths Leben im Allgemeinen zutreffen mochte, traf sie in diesem Moment ganz und gar nicht zu.

«Du kannst nicht nirgendwohin gehen! Du musst schon irgendwohin gehen!», schnaubte Tante Dorothy. Sie sah aus wie ein Krokodil und schnappte auch wie eines.

Kalte dunkle Augen

Blasse Haut

Graue Haare

Schnüffelnase

Dicke
blaue Venen

Spitze Zähne
(oder eher
Fangzähne)

Fieses
Grinsen

Schwarzes
Kleid

Schwarze
Handtasche
zum Leute-
hauen

Schwarze Schuhe
zum Hundetreten

Tante Dorothy zog sich immer von Kopf bis Fuß schwarz an, als würde sie trauern – höchstwahrscheinlich über ihr eigenes unglückliches Leben. Niemand in der Stadt hatte Interesse an **Straußen**fleisch, deshalb war Dorothy bitterarm. Und ihr eigenes Elend ließ sie alle anderen spüren.

Sie trug ihre langen grauen Haare immer streng nach hinten gekämmt und zu einem schmerzhaft festen Knoten zusammengebunden. Ihre Haut war weiß wie Schnee, und wenn sie wütend war, ploppten dicke blaue Adern auf.

Was ständig der Fall war.

Sie erklärte jedem, der auf ihre Farm kam, voller Stolz, dass sie Kinder verabscheute.

«Kinder sind ungezogene, gemeine Dinger! Widerliche Plagen, alle miteinander! Und diese RUUS ist *die Schlimmste* von allen. Mir wird schon schlecht, wenn ich sie nur sehe! Sobald sie alt genug ist, werfe ich sie aus dem Haus!

Für immer!»

All das sagte sie stets laut und in Hörweite von Ruth. Das schreckliche Krokodil wollte, dass das Mädchen sie hört. Sie hatte nur ein einziges Vergnügen im Leben ... Ruth das Leben zur Hölle zu machen.

In jener ersten stürmischen Nacht, in der die kleine

Waise vor ihrer Tür aufgetaucht war, hatte Tante Dorothy ihr einen eiskalten Blick zugeworfen. Einen eiskalten Blick voller tiefer, dunkler Verachtung. Einen Blick, der ihre Reptilienaugen seitdem nicht mehr verlassen hatte.

Ruth lebte nun schon einige Jahre bei ihrer Tante, aber die alte Frau musste es ihr immer wieder unter die Nase reiben:

«**MEIN** Haus.»

«**MEIN** Essen.»

«**MEIN** Wasser.»

«**MEIN** Feuer.»

«**MEINE** Möbel.»

Einmal hatte Tante Dorothy dem Mädchen sogar gesagt: «Hör auf, mit deinem Hintern meine Stühle abzunutzen!»

Ruth war ein ungebetener Gast, und das ließ ihre Tante sie nie vergessen.

Als Ruth eines Nachmittags mit einem kleinen dreibeinigen Hund auf dem Arm zum Haus gelaufen kam, war Tante Dorothy vor Wut ganz außer sich gewesen.

«NICHT NOCH EIN GIERIGES MAUL, DAS ICH STOPFEN MUSS!», hatte sie geschrien.

Damit Ruth den Hund behalten durfte, hatte das
alte Krokodil eine Bedingung gestellt: Ruth musste
ihr Essen mit dem Hund teilen. Sie war sofort einverstanden gewesen, auch wenn es bei den mageren Ra-
tionen, die Tante Dorothy ihr zuteilte, ohnehin nicht
viel zu teilen gab.

Aber es sorgte dafür, dass das Mädchen und sein
Hund **unzertrennlich** wurden. Juri wich nie von
Ruths Seite, schon deshalb nicht, weil Tante Dorothy

ihm jedes Mal einen Tritt versetzte, wenn Ruth gerade nicht zur Stelle war.

ZACK!

In diesem Moment stand Juri zwischen Ruths Beinen und knurrte die alte Frau an.

«GRRRR!»

«Halt die Klappe, Hundchen!», schrie Tante Dorothy. «Oder dein Hintern bekommt meinen Stiefel zu spüren!»

Winselnd zog sich Juri in eine dunkle Ecke zurück.

Dann richtete Tante Dorothy ihre toten, kalten Augen auf Ruth. «Nun?», sagte sie fordernd. «Ich kann auch die ganze Nacht auf deine Antwort warten! Wo willst du hin, RUUS?»

5. KAPITEL

EIN MEER AUS ZERFETZTEM PAPIER

Ruths Gedanken überschlugen sich. Wenn Tante Dorothy keine Ahnung hatte, wohin sie wollte, dann hatte sie den Absturz der fliegenden Untertasse wohl nicht mitbekommen. Das alte Krokodil war ein bisschen taub, also schien das durchaus möglich. Aber wie lange konnte die Sache geheim bleiben?

«Ich will mir nur ein Glas W-W-Wasser holen, Tante D-D-Dorothy», stotterte Ruth.

Die alte Frau ließ die Augen durch die winzige Dachkammer schweifen und richtete sie schließlich auf den Nachttisch.

«Neben deinem Bett steht ein Glas Wasser. Neben MEINEM Bett, wollte ich sagen!»

Ruth war nicht die beste Schauspielerin, aber sie tat trotzdem überrascht. «Ach! Tatsächlich? Ich Dummkopf!»

«Und du hast meine alten Stiefel an!»

«Wirklich?»

«Ja!», fauchte Tante Dorothy.

«Oh! Du hast recht! Ich habe mich schon gefragt, warum sich meine Füße so schwer anfühlen. Schuhe machen so was.»

Über diese Frechheit konnte das alte Krokodil nur grinsen. «Die Stiefel bedeuten, dass du etwas im Schilde führst, Ruus. Du bist eine miese kleine Lügnerin!»

Ruth lächelte nervös und wurde dann rot wie eine Tomate.

Sie wollte nicht, dass Tante Dorothy von dem **UFO** erfuhr. Die alte Dame missbilligte ihre Leidenschaft für den Weltraum. Wenn sie wüsste, dass auf ihrer Farm eine fliegende Untertasse abgestürzt war, würde sie nach ihrer Schrotflinte greifen, und ehe man sich's versah …

PENG! PENG! PENG!

Das alles musste Ruths Geheimnis bleiben.

«Du warst die ganze Nacht wach und hast durch dein blödes Fernrohr gestarrt, stimmt's, Ruuus?», warf Tante Dorothy ihr vor. «Morgen früh wartet Arbeit auf dich. Ich will, dass du bei Sonnenaufgang die **Strauße** ausmistest. Mir reicht es jetzt!»

Sie marschierte durch die Dachkammer und schnappte sich das Fernrohr.

«Bitte nicht!», flehte Ruth, die das Schlimmste befürchtete.

Wie ein Kraftprotz auf dem Jahrmarkt legte Tante Dorothy das Teleskop über ihr Knie und brach es mit aller Kraft entzwei.

KNACK!

Ruth kamen die Tränen.

«WARUM?», fragte sie.

«Um fiesen kleinen Würmern wie dir eine Lektion zu erteilen!», knurrte Tante Dorothy. Ihr Blick huschte durch die kleine Kammer. Als sie die Bilder von **JURI GAGARIN** entdeckte, die ringsum an den Wänden hingen, ging sie zu ihnen hinüber.

«Dieser ganze Weltraum-Quatsch!», schrie sie. «Das ist nichts für Mädchen. Man könnte meinen, mit dir stimmt etwas nicht! Das muss AUFHÖREN!»

Tante Dorothy streckte die Hand aus, sodass man ihre langen, spitzen Fingernägel sah. Krallen, genauer gesagt. Sie griff nach einem der Bilder und drehte sich dann mit dem gemeinsten Grinsen der Welt noch einmal zu Ruth um.

«BITTE NICHT!», flehte das Mädchen.

Aber es war zwecklos – die Frau liebte es, grausam zu sein.

RATSCH!

Zerriss sie das erste Bild.

RATSCH!

Dann das zweite.

RATSCH! RATSCH! RATSCH!

Ruth schloss die Augen.

Tante Dorothy war nun im Rausch der Zerstörung.

RATSCH!
RATSCH! RATSCH! RATSCH!
RATSCH!
RATSCH!

Juri, der ein tapferer kleiner Kerl war,
begann die alte Frau anzubellen.

«WAU! WAU! WAU!»

Er biss in den Saum ihres Kleides.

SCHNAPP!

Tante Dorothy drehte sich um und trat den Hund,
so fest sie konnte.

ZACK!

Juri sprang beiseite, und Ruth hob ihn hoch.
«WEHE, DU TUST JURI WEH!», schrie sie.
«Oh! Das tue ich! Das tue ich!»

RATSCH! RATSCH!
RATSCH!
RATSCH!

Der Boden war inzwischen ein Meer
aus zerfetztem Papier.

«Und wenn ich dich heute Nacht noch mal erwische,
Ruuuus, reiße ich dich in Stücke!»

Damit marschierte Tante Dorothy aus der Kammer und schlug die Tür hinter sich zu.

RUMS!

Diese Bosheit machte Ruth nur noch entschlossener, sich ihrer Tante zu widersetzen.

«Komm, Juri», flüsterte sie, als sie sich mit dem Ärmel die Tränen fortwischte. «Lass uns ein HEIM-LICHES ABENTEUER erleben!»

6. KAPITEL

EIN KALEIDOSKOP VON SCHATTEN

Mit Juri auf den Schultern kletterte Ruth über das *WINDSCHIEFE* Regenrohr an der Hausfassade hinab. Aus der Ferne hätte man glauben können, das Mädchen trage einen Pelzkragen.

Ganz, ganz langsam passierte sie das Schlafzimmerfenster von Tante Dorothy. Die Vorhänge waren zu-gezogen. Die alte Frau hatte vom Feuer und Rauch am Ende des Farm-geländes nichts mibekommen. Als Ruth durch den schmalen Spalt zwischen den Vorhängen spähte, sah sie ihre Tante regungslos im Zimmer stehen, das zur Dachkammer gerichtete Hörrohr fest ans Ohr gepresst. Sie sah aus wie ein Krokodil, das unter Wasser darauf lauert **zuzuschnappen!**

Ruth kletterte weiter.

Als sie unten ankam, setzte sie Juri so sanft wie möglich auf den Boden, damit er keinen Lärm machte.

KLICK! KLICK! KLICK! klackerte Juri gleich darauf über den Weg, der vom Farmhaus fortführte.

Ich Trottel!, dachte Ruth. Sie hatte nicht an Juris Schneebesen-Bein gedacht! Also nahm sie den Hund wieder auf den Arm und stieg über die Reste der zerbrochenen Kamera. Als sie außer Hörweite – oder besser: außer Hörrohrweite – waren, setzte sie Juri wieder ab. Obwohl er nur drei Beine und einen Schneebesen hatte, hielt der kleine Hund mit Ruths Tempo mit. Sie liefen am Hühnerstall, dem Schweinestall und dem **Strauβen**gehege vorbei und schlichen auf Zehenspitzen um die schlafende Kuh und den Stier herum, bevor sie quer über das goldene Weizenfeld zur Absturzstelle rannten. Der Unglücksort lag unter einer schwarzen Rauchwolke. Der Rauch war so dicht, dass kaum noch Sterne am Nachthimmel zu sehen waren.

Ruth k l o p f t e das Herz bis zum Hals. In ihrem Kopf drehte sich alles. Ihre Beine fühlten sich an wie aus **PUDDING**. Sie konnte jeden Moment zum ersten Menschen der Welt werden, der einem **Alien** begegnete!

Bald darauf kamen die ersten Trümmerteile der fliegenden Untertasse in Sicht. Schwelende Metallfetzen hatten den goldenen Weizen platt gedrückt und versengt. Die Überreste des Wracks lagen im weiten Umkreis verstreut. Es musste ein MONSTER-AUFPRALL gewesen sein.

Obwohl sie immer mehr Trümmer entdeckte, hätte Ruth nicht sagen können, welche Bruchstücke an diesem **außerirdischen** Raumschiff wohin gehörten.

Kurz darauf erreichte sie die Aufprallstelle. Die fliegende Untertasse war mit gewaltigem Tempo auf die Erde aufgeschlagen. Sie hatte sich in den Boden gebohrt und steckte nun bis zur Hälfte im Erdreich. Ringsherum brannten überall kleine Feuerherde.

Ruth kletterte auf das, was von der fliegenden Untertasse übrig war und in spitzem Winkel aus dem Boden ragte. Zuerst rutschte sie auf der schiefen Oberfläche immer wieder ab, doch dann schaffte sie es bis hinauf zur Glaskapsel, die sich immer noch auf der Oberseite des Raumschiffs befand.

Das Flackern der Flammen, der Rauch und die nächtliche Dunkelheit schufen ein Kaleidoskop von

Schatten. Es war schwer zu erkennen, was real war und was nicht.

Plötzlich verspürte Ruth einen Anflug von Angst. Sie war erleichtert, als sie spürte, wie sich ihr kleiner Hund an ihr Bein schmiegte. Mit Juri fühlte sie sich immer sicher.

Oder zumindest sicherer.

Die gläserne Kuppel der Kapsel war gesprungen und
von Ruß geschwärzt. Es war unmöglich zu erkennen,
ob die Gestalt, die Ruth kurz zuvor vom Farmhaus
aus gesehen hatte, noch darin saß. Langsam streckte
sie den Arm aus.

Juri war offensichtlich erschrocken über die Vorstellung, dass sie das Ding anfassen wollte, denn er

zerrte an ihrer Schlafanzughose, um sie davon abzuhalten. Aber Ruth hatte ihren eigenen Kopf und legte die Hand, allen Gefahren zum Trotz, auf das Glas.

«Au!», schrie sie. Das Glas war so heiß wie der Griff eines Kochtopfes auf dem Herd. Nun ja, schließlich war die fliegende Untertasse in der Erdatmosphäre glühend heiß geworden. Ruth hatte **JURI GAGARINS** Aufzeichnungen gelesen und wusste, dass der Wiedereintritt in die Erdatmosphäre der gefährlichste Teil des ganzen Unterfangens war. Obwohl **GAGARIN** am Ende sicher auf der Erde gelandet war, hatte die **WOSTOK 1** durch die höllische Hitze rot geglüht.

«WAU!», bellte Juri Ruth an, als wollte er sagen: «Ich habe dich gewarnt!»

«Schon gut! Schon gut! Nicht jeder ist so schlau wie du!»

Nun zog sich Ruth den Ärmel ihres Schlafanzugs über die Hand und wischte damit den Ruß vom Glas. Schon bald konnte sie durch einen kleinen sauberen Fleck ins Innere der Kapsel spähen, um nach Lebenszeichen Ausschau zu halten.

Es gab keine.

Doch gerade als sie sich abwenden wollte, klopfte eine behandschuhte Hand von innen gegen die Glashaube.

KLOPF!

«AAAH!», schrie sie auf.

7. KAPITEL

EINE MILLIARDE FRAGEN

Ruth kippte vor Schreck hintenüber. Sie stolperte über Juri und fiel von der fliegenden Untertasse …

«AAAH!»

Die Erleichterung darüber, wieder auf sicherem Boden zu sein, schwand, als Ruth feststellte, dass ihr Hintern brannte.

«AUAA!»

Sie war in einem der glimmenden Krater gelandet, die beim Aufprall der fliegenden Untertasse entstanden waren. Ruth sprang auf und hüpfte von einem Fuß auf den anderen, während sie unaufhörlich auf ihren Hintern schlug.

KLATSCH! KLATSCH! KLATSCH!

Genau in diesem Moment beschloss, was auch immer in der Kapsel war, zu fliehen. Eine behandschuhte Faust durchschlug die gesprungene Glashaube.

KLIRR!

Dann kletterte das Ding heraus. Sein Körper war überraschend klein. Bis zu den Schultern war es nicht größer als Ruth, die für ihr Alter selbst recht klein war. Der Helm hingegen ragte hoch in den Himmel. Er war vermutlich noch einmal halb so lang wie der restliche Körper des Aliens. Darunter musste ein wirklich bizarr aussehendes Wesen stecken.

Juri trippelte zu der mysteriösen Gestalt hinüber und begann kläffend auf und ab zu springen!

«WAU! WAU! WAU!»

Das Alien sah wirklich nicht aus wie von dieser Welt.

Sein Anzug mochte für den bitterkalten Weltraum wunderbar geeignet sein – für eine laue Sommernacht im amerikanischen Mittelwesten taugte er weniger.

Jeder Zentimeter seines außerirdischen Körpers war bedeckt, auch wenn es im Helm einen Sehschlitz aus reflektierendem Glas gab. Aber wie viele Augen mochte dieses Ding aus dem Weltraum haben?

Eins?

Drei?

Dreihundert?

Sein Kopf wirkte groß genug für dreitausend!

Silberner Helm

Brustplatte
mit bunten
Knöpfen

Dicke silberne
Handschuhe

Atemschlauch
vom Helm in den
Weltraumanzug

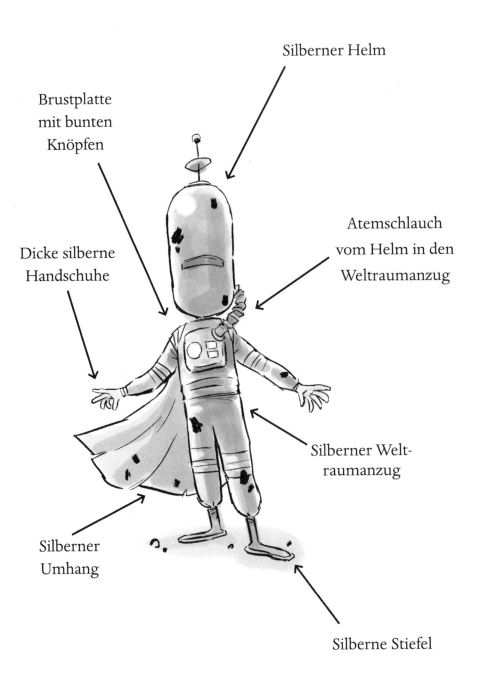

Silberner Welt-
raumanzug

Silberner
Umhang

Silberne Stiefel

Ruth schwirrten eine **Milliarde** Fragen durch den Kopf, die in schwindelerregendem Tempo aus ihr heraussprudelten.

Von welchem **Planeten** kommst du?

Wie ist es so im **Weltraum?**

Kann ich dich mal **besuchen** kommen?

Ist es dort **kalt?**

Hast du unterwegs auf dem **Mars** haltgemacht?

Warum hast du dich für **die Erde** entschieden?

Brauchst du einen **Pullover?**

Gibt es **Leben** auf dem Mars?

Wie **heißt** du?

Ich heiße **Ruth.**

Bist du **grün?**

Oder **blau?**

Oder **rot?**

Oder vielleicht **lila?**

Lila wäre **cool.**

Kommst du in **friedlicher** Absicht?

Willst du **die Erde** zerstören?

Doch bevor das **Alien** irgendetwas davon beantwortete, bückte es sich, um Juri zu streicheln, und umklammerte mit einem Schmerzensschrei sein Knie.

«AAAH!»

Zweifellos hatte sich das Wesen beim Aufprall verletzt. Die fliegende Untertasse war so schnell und heftig aufgeschlagen, dass es froh sein konnte, noch am Leben zu sein. Das Ding begann die Untertasse herunterzuhumpeln, verlor jedoch den Halt und stürzte auf das Feld.

PLUMPS!

«Ach! Fast hätte ich es vergessen! Willkommen auf der Erde», sagte Ruth.

Ihr kleiner Hund war nicht ganz so gastfreundlich und knurrte die mysteriöse Gestalt an.

«GRRR!»

«Ist schon gut, Juri», sagte Ruth.

Das **Alien** lag auf dem Feld und umklammerte sein Knie.

«Lass mich dir helfen», sagte Ruth und streckte die Hand aus, um ihm aufzuhelfen. Das Wesen starrte ihre Hand einen Moment lang zögernd an. Dann reichte es Ruth seine Hand für den ersten Handschlag zwischen einem Menschen und einem **Alien**. Ihre Finger waren im Begriff, sich zu berühren, als …

8. KAPITEL

DIE EXPLODIERTE ZIGARRE

Eine gewaltige Explosion zerriss die Luft!

Alles, was von der fliegenden Untertasse noch übrig war, ging in Flammen auf.

WOMP!

Ohne nachzudenken, schlang Ruth die Arme um das Wesen, riss es vom Feuer fort und warf sich mit ihm auf den Boden.

BUFF!

Wie eine Brandschutzdecke begrub sie das **Alien** und ihren Hund unter sich, während ein Feuersturm über sie hinwegfegte.

Ruth schloss die Augen, aber sie konnte spüren, wie die unglaubliche Hitze ihr die Haare versengte.

KNISTER!

«JAUUUU», heulte Juri laut auf. Das Feuer hatte seine Schwanzspitze angesengt.

KNISTER! BRUTZEL!

Sein Schwanz sah nun aus wie eine explodierte Zigarre.

Der kleine Hund wand sich aus Ruths Armen und lief in Richtung Brunnen davon. Während er rannte, so schnell ihn seine drei Beine und der Schneebesen trugen, bellte er ununterbrochen.

«JURI!», schrie Ruth ihm nach.

Doch der kleine Kerl hatte sich so erschreckt, dass er nicht stehen blieb. Er verschwand auf der anderen Seite des Feldes. Oh nein. Ruth sah im Farmhaus Licht angehen. Tante Dorothy musste die Explosion gehört haben.

Ihnen blieb nicht viel Zeit. Tante Dorothy würde jeden Moment mit ihrer Schrotflinte über die Felder staksen. Ruth wandte sich dem **Alien** zu.

«Alles in Ordnung?», fragte sie.

Das Wesen stöhnte nur. «UMPF!»

Und dann ...

KABUMM!

Hinter ihr gab es die nächste Explosion.

WOMP!

Ruths Rücken fühlte sich an, als würde er auf offener Flamme gegrillt wie ein Burger.

In der Nähe der fliegenden Untertasse waren sie nicht sicher. Es konnte jeden Moment zu weiteren Explosionen kommen oder noch mehr Treibstoff Feuer fangen.

Ruth rappelte sich auf und streckte die Hand aus, um dem **Alien** aufzuhelfen. Es legte seine Hand in ihre.

Da war er – der ERSTE KONTAKT!

«Das ist ein HISTORISCHES EREIGNIS!», jubelte Ruth. «Auf der Erde ist es ein Zeichen der Freundschaft, wenn man sich die Hände schüttelt. Bedeutet das, dass wir Freunde sind?»

Das **Alien** nickte. Ruth grinste von einem Ohr zum anderen.

«HURRA!», rief sie aus.

Es war ein gewaltiges HURRA!

Ruth hatte noch nie einen Freund oder eine Freundin gehabt. Und sie hatte auch nicht unbedingt damit gerechnet, sich als Erstes mit einem **Alien** anzufreunden. Sie hatte eher an ein Mädchen mit einem Fransenpony gedacht, das Briefmarken sammelte. Aber sie wollte nicht undankbar sein.

«Großartig», sagte sie. «Und Freunde geben aufeinander acht. Hier!»

Sie zog das **Alien** auf die Beine, dem das Knie sofort wieder wegsackte.

«AAAH!», schrie das Wesen auf, als es nach vorne kippte.

Ruth fing ihren neuen Freund auf und hielt ihn mit aller Kraft aufrecht.

«Ich habe dich», sagte sie, aber das stimmte nicht. Das **Alien** konnte nicht richtig auftreten.

Deshalb rutschte es Ruth aus den Armen und plumpste zu Boden.

PLOMP!

«MIST!», rief sie.

In diesem Moment entdeckte sie in der Ferne eine schemenhafte Gestalt. Sie kam aus der Richtung des Farmhauses.

«RUUUUUUS!», schrie eine Stimme.

Ruth hätte diese Stimme überall erkannt. Es war natürlich Tante Dorothy.

PENG!

Genau wie Ruth befürchtet hatte, hatte die alte Frau ihre Schrotflinte dabei! Und sie hatte keine Hemmungen, diese zu benutzen.

PENG! PENG! PENG!

Tante Dorothy feuerte Warnschüsse in die Luft.

Ruth musste ihren neuen Freund verstecken.

Und zwar schnell.

Richtig schnell.

Schneller als schnell.

BLITZSCHNELL!

9. KAPITEL

ERSCHÖPFT

Die fliegende Untertasse war nur einen Steinwurf von einem alten, verlassenen Heuschober entfernt abgestürzt. Die Scheune war eines von einem halben Dutzend Gebäuden, die auf Tante Dorothys Farm langsam verfielen. Und in diesem Moment war sie für Ruth das aussichtsreichste Versteck. Also tat sie, als würde sie die Rufe ihrer Tante nicht hören.

«RUUUS! RUUUUUUS! WO BIST DU? HOFFENTLICH IST DIR DAS FLUGZEUG GERADEWEGS AUF DEN KOPF GEFALLEN! ICH HABE MEIN GEWEHR DABEI, FALLS ES RUSSEN SIND! GLAUB JA NICHT, DASS ICH DIR DURCHGEHEN LASSE, DASS DU MEINE KAMERA KAPUTT GEMACHT HAST! WARTE NUR, BIS ICH DICH IN DIE FINGER KRIEGE!»

Die Warnschüsse, die Tante Dorothy in die Luft feuerte, ignorierte Ruth ebenfalls.

PENG! PENG! PENG!

Ruth zerrte das **Alien** an den Füßen über das Feld.

«UFF! UFF! UFF!», stöhnte es, als sein Kopf wieder und wieder auf den Boden knallte.

Kurz darauf hatten sie den Schober erreicht. Ruth drückte das morsche Holztor mit dem Rücken auf.

KNARR!

Sie zog das Wesen hinein, packte es dann unter den Achseln und hob es sanft auf ein paar Heuballen.

«UFF», seufzte das **Alien** erleichtert.

Das Scheunendach war schon vor Jahren eingestürzt, sodass es sich bei dem Schober eher um eine Ansammlung bröckelnder Mauern handelte. Aber wie dem auch sei, im Moment war er für ein **Alien** das beste Versteck.

«Warte hier», flüsterte Ruth, auch wenn die Gestalt nicht aussah, als könnte sie irgendetwas anderes tun, als dazuliegen. «Ich bin gleich zurück.»

Der große Helm nickte ein bisschen, dann folgte ein Stöhnen.

«UMPF!»

Das **Alien** hob die Hand, als wollte es Ruth anflehen dazubleiben.

«Ich verspreche es!», fügte Ruth hinzu und legte dem

Alien beruhigend die Hand auf die Schulter. «Ich habe noch nie einen Freund im Stich gelassen. Nun ja, ich hatte noch nie einen Freund, aber wenn ich einen gehabt hätte, hätte ich ihn nicht im Stich gelassen.»

Wie ein Hund, der versucht, sein Frauchen zu verstehen, legte das **Alien** den Kopf schief.

Dann schlich Ruth auf Zehenspitzen zum Tor zurück. Vorsichtig vergewisserte sie sich, dass die Luft rein war, ehe sie in die Dunkelheit hinaustrat.

Draußen stand eine Gestalt mit einer Schrotflinte in der Hand.

Es war die gefürchtete Tante Dorothy.

«Mit wem hast du geredet?», wollte sie wissen.

«Mit niemandem», erwiderte Ruth ein wenig zu schnell, um unschuldig zu wirken.

«Mit niemandem? Du kannst nicht mit niemandem gesprochen haben! Ich bin vielleicht ein bisschen taub, aber ich habe Stimmen gehört! Du versteckst jemanden in meiner Scheune!»

Tante Dorothy stakste zum Tor, das lose in den Angeln hing. Sie stieß es mit dem Ende ihrer Schrotflinte auf.

KNARR!

Und machte einen Schritt hinein …

KABUMM!

Draußen auf dem Feld explodierten die letzten Überreste der fliegenden Untertasse.

Wieder erleuchtete ein Feuerball die ganze Farm.

Ein schwarzer Rauchpilz stieg auf.

Das Weizenfeld entzündete sich.

WOMP!

«FEUER!», schrie Tante Dorothy, die aus dem Heuschober stolperte. «FEUER!»

«Es gibt meilenweit keine Feuerwache!», gab Ruth zu bedenken.

«Dann müssen wir selber löschen! Oder meine ganze Farm brennt ab! Tu was, du faules Stück!»

«Hier entlang!», rief Ruth und zog Tante Dorothy am Handgelenk von der Scheune fort. «Zum Brunnen!»

Als sie den Brunnen der Farm erreichten, sah Ruth, dass auch ihr kleiner Hund dort war. Mit einem Ausdruck der Erleichterung im Gesicht kühlte Juri seinen angesengten Schwanz in einem Eimer mit Wasser.

«Es tut mir leid, Juri!», rief Ruth. «Aber wir brauchen diesen Eimer! Schnell, lasst uns eine Kette bilden!»

Kurz darauf hatte sie allen einen Platz zugewiesen.

Tante Dorothy legte ihre Flinte beiseite und füllte den Eimer am Brunnen.

Dann nahm Juri den Henkel zwischen die Zähne und brachte den Eimer zu Ruth.

Und die schüttete das Wasser auf den brennenden Weizen.

PLATSCH!

ZISCH!

Der leere Eimer ging an Juri zurück, und das Ganze begann von vorn.

Es dämmerte bereits, als auf dem Weizenfeld endlich nur noch schwelende schwarze Flecken zu sehen waren.

Das Feuer war gelöscht.

Alle drei waren restlos erschöpft.

Keiner von ihnen hatte auch nur ein Auge zugetan.

Und sie waren von Kopf bis Fuß voller Ruß. Man hätte meinen können, Juri wäre ein kleiner schwarzer und kein kleiner weißer Hund.

Über den wogenden Feldern ging die Sonne auf und tauchte alles in rotes Licht. Tante Dorothy verzog geblendet das Gesicht und schnauzte ihre Nichte an.

«RUUUS! Bleib stehen! Ich will keinen Ruß in MEINEM Haus!»

Ruth gehorchte. Sie wusste, was nun kam. Das, was Tante Dorothy «Badezeit» nannte – die es für Ruth nur einmal im Jahr gab –, stand nun an. Sie schloss die Augen und streckte die Arme aus. Im nächsten Moment ging ein Eimer voll eiskaltem Wasser über sie nieder.

PLATSCH!

«HUH!» Die Kälte raubte Ruth den Atem.

Als sie die Augen wieder aufmachte, sah sie an ihrem durchnässten Schlafanzug hinunter. Die Rußbrühe aus ihren Haaren und ihrem Gesicht lief ihr über die Brust. Alles, was Tante Dorothy erreicht hatte, war, sie noch schmutziger zu machen als vorher.

«Glaub ja nicht, du könntest reinkommen und deine Dreckbrühe überall hintropfen! Du wartest draußen, bis du trocken bist, ehe du einen Fuß ins Haus setzt», befahl Tante Dorothy. «Was wollte ich eigentlich gerade tun? Ach ja, jetzt fällt es mir wieder ein! **Im Heuschober nachsehen!**»

Damit packte Tante Dorothy ihre Schrotflinte und marschierte zurück in Richtung Heuschober, die tropfende Ruth im Schlepptau.

«Warte! Warte!», rief das Mädchen, aber ihre Tante achtete gar nicht auf sie.

Im Handumdrehen erreichten die beiden das Scheunentor.

«Lass mich zuerst reingehen!», bat Ruth.

«Geh mir aus dem Weg!», raunzte Tante Dorothy, als sie Ruth zur Seite schubste. Ihre Schrotflinte schwingend, stürmte sie in die Scheune!

PENG! PENG!

10. KAPITEL

DIE BLUTSPUR

Zu Ruths großer Überraschung war der Schober leer. Das **Alien** war nirgends zu sehen.

«Siehst du?», sagte sie mächtig erleichtert zu ihrer Tante. «Ich hab dir gesagt, dass niemand hier ist!»

Tante Dorothy schnaubte. «PFH! Ich muss sofort den Sheriff anrufen!»

«Muss das denn sein? Er ist bestimmt ein viel beschäftigter Mann!»

«Was redest du da, du Dummkopf! Auf meiner Farm ist ein Flugzeug abgestürzt! Natürlich muss ich den Sheriff anrufen!»

«Das hat doch keine Eile! Vielleicht morgen?»

«Nein! Nicht morgen! Sofort!»

Tante Dorothy machte auf dem Absatz kehrt, schulterte ihre Flinte und marschierte über das qualmende Feld zurück zu ihrem Farmhaus.

«Wo ist unser neuer Freund?», zischte Ruth Juri zu.

Der kleine Hund nahm auf der Stelle Witterung auf. Erst als sie sich so tief bückte, dass sie mit der Nase fast den Boden berührte, merkte Ruth, dass ihr kluger kleiner Hund eine Blutspur entdeckt hatte.

Winzige rote Flecken bedeckten den Boden.

TROPF. TROPF. TROPF.

Wer hätte gedacht, dass Aliens rotes Blut haben, genau wie Menschen? Bei diesem hier zumindest war es so. Das Blut musste von seinem verletzten Knie stammen.

Juri folgte der Spur und wurde immer aufgeregter.

«SCHNÜFFEL! SCHNÜFFEL! SCHNÜFFEL!»

Obwohl der kleine Hund nur drei Beine hatte, konnte Ruth kaum Schritt halten. Sie liefen zusammen zum **Straußen**gehege, wo die Spur plötzlich aufhörte. Schluss, aus, Ende. Da es nichts mehr zu schnüffeln gab, begann Juri, seinem eigenen Schwanz nachzujagen.

«WAU! WAU! WAU!», bellte er.

Ruth suchte auf dem Boden nach weiteren Blutflecken, doch es waren keine mehr da.

Nicht ein einziger.

Sie sah nach oben.

Vielleicht hatte man das **Alien** von der Erde wieder zurück in den Weltraum teleportiert?

Nein. Das hätte Ruth bemerkt, als sie das brennende Feld löschte.

Es gab auch keine Bäume in der Nähe, hinter denen man sich verstecken konnte.

Das Einzige, was sich in der Nähe heraushob, war der Brunnen. War das **Alien** etwa den ganzen Weg vom Heuschober dorthin gekrochen und hatte sich darin versteckt?

Ruth beugte sich über den dunklen Schacht. Unten war ein Geräusch zu hören.

PLATSCH!

«Hallo?», rief sie, und ihre Worte hallten im Brunnenschacht wider. Sie hätte schwören können, dass sie gehört hatte, wie sich dort unten etwas bewegte.

«HALLO?», rief sie erneut.

«UMPF!», kam es wie ein Echo zurück.

«Meine böse Tante und ihre Schrotflinte sind weg. Dir kann nichts mehr passieren. Komm – ich helfe dir raus.»

Aber bevor das **Alien** antworten konnte …

TATÜ TATA! TATÜ TATA!

Es war eine Polizeisirene!

Ruth richtete sich so hastig auf, dass sie sich den Kopf am Flaschenzug stieß.

KLONG!

«Autsch!», schrie sie, ehe sie hinzufügte: «BOAH! Der Sheriff ist wirklich *schnell!*»

11. KAPITEL
ZU ENGE HOSEN

RUTH SCHAUTE ÜBER DIE FELDER. EINE STAUBWOLKE FEGTE WIE EIN TORNADO AN DER FARM VORBEI.

WOMM!

SIE KAM DIREKT AUF SIE ZU.

WROMM!

IN NULL KOMMA NICHTS FEGTE EIN POLIZEIWAGEN HERAN, DER DIE STAUBWOLKE HINTER SICH HERZOG.

DIE KÜHE SPRANGEN DAVON.

QUIIIIIIII

RUTH BEKAM EIN BISSCHEN **PANIK.**

WENN SIE NICHT SCHNELL ETWAS UNTERNAHM, WÜRDE SIE DEN SHERIFF DIREKT ZUM **ALIEN** FÜHREN!

SCH!

Ruth versuchte, so unschuldig wie möglich auszusehen. Sie verschränkte die Arme vor der Brust. Aber das fühlte sich irgendwie unnatürlich an, also öffnete sie die Arme wieder und ließ sie herabhängen. Das fühlte sich ebenfalls komisch an. Es war, als hätte man ihr die Arme eben erst angeklebt, und sie hatte keine Ahnung, was sie mit ihnen tun sollte.

TATÜ TATA! TATÜ TATA!

Ruth hatte sich gerade entschieden, die Arme hinter ihrem Rücken zu verstecken, als der Polizeiwagen schlitternd zum Stehen kam.

QUIETSCH!

Er hielt zwei Zentimeter vor ihren Füßen. Juri versteckte sich hinter Ruths Beinen. Der Sheriff zwängte seinen massigen Leib aus dem Seitenfenster. Was eine Weile dauerte. Der Mann war bekannt für seine Vorliebe für Donuts, und wie man es von ihm gewohnt war, hielt er auch jetzt einen in seiner lederbehandschuhten Hand.

MAMPF!

Er biss so fest hinein, dass an der Seite ein Klecks Erdbeermarmelade herausquoll.

QUIETSCH!

Der Klecks landete in Ruths Auge. **KLATSCH!**

Der Sheriff war wirklich ein unvergesslicher Anblick …

Cowboyhut

Dunkle Brille

Streichholz, das nie aus dem Mund genommen wird

Feine Puder-zuckerschicht

Auto-handschuhe

Winziger Schnurrbart (viel zu klein für sein Ge-sicht)

Marmelade-flecken

Flecken unbekannter Herkunft

Goldener Sheriffstern

Handschellen

Cowboystiefel

«Guten Morgen, Miss Ruth», sagte der Sheriff, ohne auf ihr Marmeladenauge zu achten. Bei jeder Silbe flogen ihm Zuckerstreusel aus dem Mund.

«Oh! Guten Morgen, Sheriff!», flötete Ruth, als wäre sie überglücklich, ihn zu sehen. «Es ist in der Tat ein herrlicher Morgen!»

«Für so etwas ist jetzt keine Zeit!»

«Nein?»

«Nein! Ich bin mit heulenden Sirenen hergeeilt, weil ich einen Notruf von deiner Tante, Miss Dorothy, erhalten habe», sagte er mit seiner tiefen Stimme.

Der Sheriff meinte es also ernst. Um jeden Zweifel zu beseitigen, hievte er sein Bein in die Höhe und stützte den dicken Fuß an der Wand des Brunnens ab.

BOMPF!

Bei der Bewegung riss seine enge Hose direkt entlang der Naht am Popo auf.

RATSCH!

Seine Unterhosen kamen zum Vorschein!

Er setzte das Bein langsam wieder ab und befühlte die Rückseite seiner Hose.

«Nicht schon wieder!», murmelte er vor sich hin.

«Tante Dorothy hat Sie also angerufen», sagte Ruth in einem Ton, der viel zu überrascht klang, um glaubwürdig zu sein. «Weswegen denn?»

Da ihre Arme hinter dem Rücken langsam steif wurden, ließ sie sie wieder seitlich herabhängen. Dort baumelten sie, als gehörten sie jemand ganz anderem. Einem Orang-Utan vielleicht.

«Miss Dorothy hat erzählt, dass hier auf der Farm letzte Nacht ein Flugzeug abgestürzt ist», erwiderte der Sheriff verwundert.

«Ach ja, der Flugzeugabsturz! Ich Dummerchen! Den habe ich ganz vergessen!»

Dem Sheriff quollen fast die Augen aus dem Kopf. Der Mann erkannte eine Lüge, wenn er eine hörte. Er brachte seine fettige Nase ganz dicht vor Ruths Gesicht und sah ihr tief in die Augen. Auf diese Weise würde er eine Lüge mit Sicherheit erkennen. Und diese junge Dame tischte ihm eindeutig **FAUSTDICKE LÜGEN** auf!

Den Blick fest auf Ruth gerichtet, sagte er sehr langsam und bedächtig:

«Ihr habt sicher nicht jede Nacht einen Flugzeugabsturz auf eurer Farm, oder?»

Ruth schluckte. Wie sollte sie aus der Sache wieder herauskommen?

12. KAPITEL

FAUSTDICKE LÜGEN

Ruth tat, als würde sie über die Frage des Sheriffs nachdenken.

«Nein, nicht JEDE Nacht», sagte sie dann. «Letztes Wochenende gab es auf der Farm überhaupt keinen Flugzeugabsturz. Oder letzte Woche. Oder letzten Monat. Oder letztes Jahr. Oder das Jahr davor. Wenn ich richtig darüber nachdenke, ist es eigentlich noch nie passiert!», schloss sie, während sie sich die Marmelade aus dem Auge wischte und von ihrem Finger ableckte.

«MMMH!»

Die Marmelade war wirklich SUPERLECKER!

«UMPF!»

Ein Stöhnen drang unten aus dem Brunnen!

«Was war das?», wollte der Sheriff wissen.

«Was war was?», erwiderte Ruth, obwohl sie genau wusste, was was war.

«Dieses Geräusch.»

«Welches Geräusch?»

«Es klang wie ein Stöhnen!», bohrte der Sheriff.

«UMPF!», ertönte es noch einmal.

«Da ist es schon wieder!»

«Ach, das?», sagte Ruth. «Das ist nur mein knurrender Magen!» Die nächste faustdicke LÜGE. «Ich habe nämlich nicht gefrühstückt. Noch nie! Könnte ich bitte einen Ihrer Donuts haben?»

Aus dem Augenwinkel hatte sie auf dem Beifahrersitz des Polizeiwagens eine große Schachtel mit Donuts entdeckt.

Donuts mit Marmelade. Mit Vanillepudding. Mit Schokolade. Mit Sahne. Mit Hunderten und Tausenden von Streuseln obendrauf. Sie schrien förmlich danach, gegessen zu werden.

«Es tut mir schrecklich leid, Miss Ruth, aber ich habe nur zwölf Stück gekauft», antwortete der Sheriff kopfschüttelnd, ehe er einen weiteren Bissen nahm.

MAMPF!

«Verstehe», erwiderte Ruth, obwohl sie es nicht tat.

«Also, Miss Ruth, hast du dieses Flugzeug vom Himmel fallen sehen?»

«Nein.»

«Aber deine Tante hat mir einmal erzählt, du hättest oben in deiner Dachkammer ein Teleskop.»

«Schon.»

«Dann hast du also in den Nachthimmel gestarrt, aber nichts gesehen?»

Ruth schüttelte den Kopf so heftig, dass ihre Wangen schlackerten.

«Ist das ein ‹Nein›?», fragte der Sheriff.

«Ja. Äh, ich meine, ja, das ist ein ‹Nein›. Ich habe gar nichts gesehen! Ich habe fest geschlafen.» Wieder eine **LÜGE!**

Der Sheriff lehnte sich so nah heran, dass Ruth sein nach schwarzem Kaffee riechender Atem in die Nase stieg.

WÜRG!

Er roch so sauer. IGITT! Warum tranken Erwachsene das Zeug bloß literweise? Es war ekelhaft.

«Geschlafen? Tatsächlich?», fragte der Sheriff.

Ruth nickte. «Tief und fest. Selig geschlummert! Und von Schmetterlingen, Einhörnern und Feen geträumt, wie wir Kinder das nun mal so tun. Dann hat mich ein **KNALL** geweckt. Ich bin rausgerannt und habe die Trümmer von etwas gesehen, das definitiv hundertprozentig ganz zweifellos ein Flugzeug war. Ich schwöre!»

Der zuckerbestäubte Schnurrbart des Sheriffs zuckte ungläubig. «Gab es irgendwelche Überlebenden?»

Ruth senkte bedauernd den Kopf. «Nein.»

LÜGE!

Um das Ganze noch ein bisschen dramatischer zu machen, versuchte sie, eine Träne herauszudrücken, was ihr misslang. Also tat sie, als würde sie eine wegblinzeln, und schniefte als Zugabe noch ein bisschen.

«SCHNIEF!»

«Bist du ganz sicher, dass es keine Überlebenden gab?», drängte der Sheriff.

«Ja. Na ja, nein.»

«Nein?»

«Ja und nein.»

«Ja und nein?»

«Nein. Ja. Nein. Ich weiß es nicht.»

Der Sheriff schüttelte den Kopf. Die Antworten dieses Mädchens wurden immer seltsamer. Sie schienen allesamt LÜGEN zu sein! «Hat dein kleiner Hund denn irgendwelche Überlebenden aufgespürt?»

«Nein, keine! Stimmt's, Juri?» Ruth schaute zu ihm hinunter. Und als braver kleiner Hund schüttelte Juri den Kopf. Sogar er LOG jetzt.

«Nun, ich denke, es wird Zeit, dass ich selbst ein wenig Detektivarbeit leiste», sinnierte der Sheriff und stopfte das letzte Stück von einem seiner zwölf Donuts in den Mund. «Meinst du nicht auch?»

Ruth zuckte die Achseln, was sie recht SCHULD-BEWUSST aussehen ließ!

Der korpulente Mann begann über die Absturzstelle zu spazieren. Bei jeder verbrannten Stelle bückte er sich und suchte nach Hinweisen, dabei knackten jedes Mal seine Knie.

KNACK KNACK!

Nacheinander nahm er die verbrannten Überreste der fliegenden Untertasse in die Hand, um sie genau zu inspizieren; allem Anschein nach fühlte er sich wie ein genialer Detektiv.

«Viel ist von dem Flugzeug nicht übrig geblieben, was?», sagte er.

«Nein», stimmte Ruth ihm zu. «Ich halte es für unwahrscheinlich, dass es je wieder fliegen wird.»

Der Sheriff hob seine raupendicken Augenbrauen. «Sag bloß!»

Dann bemerkte er aus den Augenwinkeln etwas Seltsames.

Die Kuppel.

Oder zumindest das, was davon übrig war.

Der Sheriff war kein intelligenter Mann; er konnte das Wort wahrscheinlich nicht einmal buchstabieren. Allerdings musste man kein Genie sein, um zu erkennen, dass diese breite runde Glaskapsel nicht zu einem Flugzeug gehörte.

«Das sieht mir nicht nach einem Flugzeug aus», stellte er fest. Er spähte in die versengte und zertrümmerte Kuppel. «Also, ich will verdammt sein, wenn ich so was nicht schon mal im Kino gesehen hab. Das muss eins von diesen **FUO**-Dingern sein!»

Ruth brach der kalte Schweiß aus.

«Also, Sie sind bestimmt ein viel beschäftigter Mann, Sheriff», plapperte sie drauflos. «Ich will Ihre kostbare Zeit wirklich nicht mehr als nötig in Anspruch nehmen. Vielen Dank, dass Sie vorbeigekommen sind. Und kommen Sie recht bald wieder!»

«Ein **FUO!** In unserem entlegenen Städtchen! Das haut einen glatt vom Stuhl!»

Der Sheriff nahm seinen Cowboyhut ab und schleuderte ihn hoch in die Luft.

Dann versuchte er, ihn wieder aufzufangen, was aber misslang. Ungerührt hob er seinen staubbedeckten Hut wieder auf und vollführte einen kleinen Freudentanz!

«Yippie!»

Er tanzte um den Brunnen herum. Ruth schaute nervös zu und betete, dass nicht noch ein Stöhnen von unten ertönte.

Zum Glück war der Sheriff nach nur einer Runde um den Brunnen völlig aus der Puste.

«PUH!», keuchte er.

Er lehnte sich schwer auf Ruths Schulter. Vielleicht hatte er Angst, gleich zusammenzubrechen. Ruth hatte das Gefühl, von seinem Gewicht ins Zentrum der Erdkugel gedrückt zu werden.

«PUH! PUH! PUH!»

«Geht es Ihnen gut?», fragte Ruth, die schon ein ganzes Stück kleiner war als kurz zuvor.

«Ich glaube, ich brauche einen Schluck Wasser. Lass mich ein bisschen aus dem Brunnen hochholen», schnaufte er und griff nach dem Eimer.

Ruth geriet in Panik. NEIN! Dort unten war das **Alien!**

13. KAPITEL

ES SPRICHT!

NEIN!», sagte Ruth.

«Nein was?», fragte der Sheriff.

«Kein Wasser!»

«Warum?»

«Keine Zeit! Sie müssen los!»

«Tatsächlich?»

«Ja! Sie haben wichtige Polizeiarbeit zu erledigen! Donuts zu essen! Sirenen heulen zu lassen. Hosen aufzureißen!»

«Das ist wahr! Es ist nicht so viel wirklich Dramatisches in unserer Stadt passiert, seit die Ziege vom alten Farmer Gideon die Unterhosen seiner Frau gefressen hat!», erklärte der Sheriff. «Ein **FUO!** Ein fliegendes unbekanntes Objekt! Das ist grandios! Das ist grandioser als grandios! Das ist GRANDIOTISSIMO! Ich muss zum nächsten Telefon. Die CIA anrufen! Das FBI! Den Bürgermeister! Den

Sheriff! Halt, nein! Ich bin ja der Sheriff! Ich hab's! Ich muss den Präsidenten anrufen!»

Mit fassungslosem Staunen sahen Ruth und Juri zu, wie der korpulente Mann Anlauf nahm und mit dem Kopf voran durch das Fenster seines Polizeiautos sprang.

WOMP!

Er landete mit dem Gesicht in seiner Donutschachtel.

SPRATZ!

Als er sich auf dem Fahrersitz wieder aufrichtete, war sein Gesicht ein Mischmasch aus Zucker und Marmelade und Glasur und Schokolade und Vanillepudding und Creme und, und, und …

«Rühr dich nicht vom Fleck, Miss! Und fass bloß nichts an!», schrie der Sheriff aus dem Seitenfenster. Er trat aufs Gaspedal, und der Wagen schoss davon wie eine Rakete.

WROMM!

«Mach ich nicht!», log Ruth. Obwohl der Sheriff sie bei dem ohrenbetäubenden Sirengengeheul gar nicht hören konnte.

TATÜ TATA! TATÜ TATA!

Der Polizeiwagen raste über die Felder und sah aus, als würde er jeden Moment auseinanderfallen.

RUMPEL! RÜTTEL! RATTER!

Juri konnte gar nicht mehr hinsehen. Er schüttelte den Kopf und legte eine Pfote über die Augen.

Als das Auto in einem weiteren Staubtornado verschwunden war, ging Ruth zurück zum Brunnen.

«HALLO!», rief sie in die Dunkelheit.

«BIST DU NOCH DA?»

Ruth musste sich ein wenig über den Brunnenrand beugen, um in der Dunkelheit etwas zu erkennen.

Es dauerte eine Weile, bis sie das **Alien** entdeckte, das sich an das Seil des Flaschenzugs klammerte.

«Hab keine Angst, mein Freund!», rief Ruth ihm zu. «DER SHERIFF IST JETZT WEG. UND MEINE TANTE IST MIT IHRER SCHROTFLINTE WIEDER IM HAUS. NIEMAND WIRD DIR ETWAS TUN. DAS VERSPRECHE ICH DIR! HIER. GIB MIR DEINE HAND.»

Ruth beugte sich noch ein Stück weiter in den Brunnen, ihre Zehen hoben vom Boden ab. Sie kippte wie eine Wippe nach vorn, aber anders als eine Wippe kippte sie nicht wieder zurück! Sie kippte einfach weiter hinein!

«AAAH!», schrie sie, als sie in den Brunnen stürzte und auf das **Alien** prallte. Mit VOLLER WUCHT.

BUFF!

«AU!», schrie das Alien auf.

Ruth fiel weiter. Sie schloss die Augen. War dies das Ende? Da packte eine behandschuhte Hand ihren Knöchel.

Das **Alien** hatte ihr das Leben gerettet!

«Danke», sagte Ruth, während sie kopfüber im Brunnen baumelte.

Juri bellte und bellte. «WAU! WAU! WAU! WAU!» Der kleine Hund war in so heller Aufregung, dass er auf den Rand des Brunnens sprang. Da er nur drei Beine und einen Schneebesen hatte, verlor er das Gleichgewicht und stürzte ebenfalls in die Tiefe!

«JAU», winselte er.

Auf seinem Weg durch die Dunkelheit prallte er auf Ruth.

BONG!

«AAAH!», schrie Ruth im Sturzflug.

Juri schaffte es gerade noch, sich in das Rückenteil ihres Schlafanzugs zu verbeißen.

SCHNAPP!

Und irgendwie gelang
es dem **Alien**, Juris
Schwanz zu packen.

«JAU», winselte Juri
erneut.

Jetzt hingen alle drei
untereinander im Brun-
nen, mit einem kleinen
Hund in der Mitte.
Eine falsche Bewegung,
und sie wären allesamt
erledigt.

Ruth schaffte es, sich
mit den Händen an den
glitschigen Brunnen-
wänden abzustützen
und sich dabei umzu-
drehen. Schnell grub sie
ihre nackten Zehen in
die schleimigen Ritzen,
und Juri hockte sich auf
ihren Kopf, sodass sich
sein pelziger Hintern
nun in Schnüffeldistanz
zu ihrer Nase befand.

«Ich habe dich, Juri», sagte sie. «Lass uns von hier verschwinden!»

Im nächsten Moment spürte sie, wie ihr Handgelenk gepackt wurde.

«UMPF!», stöhnte das **Alien** vor Anstrengung. Dann wurde Ruth Stück für Stück aus der Dunkelheit ans Licht gezogen.

Wenig später lagen alle drei auf einem Haufen neben dem Brunnen.

«AAAH!», stöhnte das **Alien** und umklammerte sein Bein.

«Dein Knie!», rief Ruth. «Mal sehen, was ich tun kann!»

Sie ging in die Hocke. Zuerst wollte das Alien seine behandschuhten Hände nicht von seinem Bein nehmen, aber Ruth beruhigte das Wesen.

«Ist schon gut. Wir sind doch Freunde, weißt du noch?»

Langsam ließ das Wesen los.

«Das sieht übel aus», befand Ruth, als sie das blutverschmierte Knie des **Aliens** betrachtete. Es musste damit beim Aufprall auf die Erde hart aufgeschlagen sein.

«Wir brauchen einen Verband», sagte Ruth. «Ich hab eine Idee! Juri, beiß in meinen Ärmel!»

Der kleine Hund tat wie ihm geheißen.

SCHNAPP!

«Und jetzt zieh!»

Die beiden zogen in entgegengesetzte Richtungen und BINGO!

RATSCH!

Schon hatten sie den Ärmel von Ruths Schlafanzug abgerissen.

«SUPER!», rief sie. «Das wird der perfekte Verband!»

In wenigen Augenblicken hatte sie den Ärmel um das Knie des **Aliens** gewickelt und festgebunden.

«Danke», sagte das Wesen.

«ES SPRICHT!»

14. KAPITEL

DAS VERSTECK

JAWOHL!», kam es mit dröhnender Stimme aus dem Helm. Das **Alien** hörte sich **GRUSELIG** an, als würde ein Riese aus dem Inneren einer Höhle sprechen.

«Warum hast du nicht schon eher was gesagt?», fragte Ruth.

«Du hast mir keine Gelegenheit gegeben.»

Darüber musste Ruth lachen. «Ja, ich rede wirklich viel!», gab sie zu. «Und ich habe eine Milliarde Fragen an dich!»

«Alles zu seiner Zeit!»

«Wie soll ich dich nennen?»

«Spaceboy! So nenne ich mich selber.»

«Toller Name! Hallo, Spaceboy! Du bist also ein Junge?"

«JA! Und du?»

«Na ja, manche Leute halten mich für einen Jungen, weil ich meine Haare kurz schneide und den Weltraum mag, aber das ist total altmodisch. Wir leben schließlich in den 1960ern, meine Güte!»

«Ich mag den Weltraum auch!»

«Du kommst aus dem Weltraum!»

«Ach ja!»

In der Ferne heulten Sirenen.

TATÜ TATA! TATÜ TATA!

«Oh nein!», rief Ruth. «Nicht schon wieder!»

«Sie *dürfen* mich nicht finden!», rief das **Alien** mit Panik in der Stimme.

«Warum nicht?»

«Weil es mich in schreckliche Gefahr bringen würde!»

«Woher weißt du das?»

«ICH WEISS ES EBEN!»

«Dann müssen wir dich verstecken! Komm mit!»
Ruth und Juri führten den hinkenden Spaceboy zu
einem entlegenen Winkel der Farm. Nicht weit vom
Straußengehege stand eine *WINDSCHIEFE* Garage.
Darin waren Tante Dorothys alte landwirtschaft-
liche Fahrzeuge untergebracht. Der Traktor und der
Mähdrescher waren beide kaputt und verrostet und
reif für den Schrottplatz. Aber sie zu reparieren oder
abschleppen zu lassen, kostete Geld, also ließ Tante
Dorothy sie dort lieber vor sich hin rosten.

Als kleines Kind war Ruth gern auf den Traktor geklettert. Mit Juri vor sich auf dem Sitz hatte sie stundenlang dagesessen und fröhlich am Lenkrad gedreht.

«BRUMM! BRUMM! BRUMMM!»

Ruth hatte den wunderbaren Traum, in ein fernes
Land zu fliehen, in eine Welt weit weg von ihrer grau-
samen Tante, wo sie auch ihre Eltern wiederfinden
würde. Natürlich geschah das alles nur in ihrer Fanta-
sie. Aber es tröstete sie.

Ihre **TRÄUME** waren das Einzige, was Tante Dorothy ihr nicht wegnehmen konnte.

Niemand kam jemals in die Garage, und selbst
wenn, kannte Ruth jede Menge gute Verstecke für
ein **Alien** …

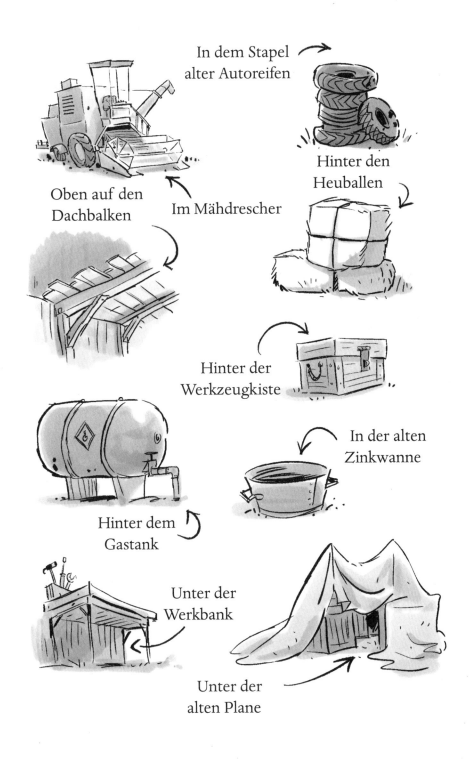

In dem Stapel
alter Autoreifen

Hinter den
Heuballen

Oben auf den
Dachbalken

Im Mähdrescher

Hinter der
Werkzeugkiste

In der alten
Zinkwanne

Hinter dem
Gastank

Unter der
Werkbank

Unter der
alten Plane

Als die beiden das Garagentor öffneten, war Spaceboy sofort von dem Traktor fasziniert.

«Das ist ein Traktor», erklärte Ruth. «Ein Traktor. Trak-tor. Damit erledigen Menschen die Farmarbeit.»

«TRAKTOR!», wiederholte Spaceboy und begann im nächsten Moment an der Maschine herumzufingern.

«Mit dem dummen alten Ding verschwendest du nur deine Zeit. Es funktioniert schon seit Jahren nicht mehr», sagte Ruth.

Aber Spaceboy hörte ihr gar nicht zu. Mit seinen behandschuhten Händen hantierte er mit Drähten, justierte hier und drehte da.

Ruth und Juri sahen sich an. Was hatte dieser **Außerirdische** denn jetzt vor?

Es schien keinen Zweck zu haben, ihn aufzuhalten. Außerdem konnte er an der alten Mühle auch nichts mehr kaputt machen. Spaceboy fummelte an jedem einzelnen Teil des Motors herum –Teilen, von denen Ruth nicht einmal den Namen kannte.

Dann geschah etwas absolut Bemerkenswertes. Spaceboy drehte den Zündschlüssel, und zum ersten Mal seit Jahrzehnten erwachte der Traktor zum Leben.

STOTTER! SPOTZ!

Zuerst klang er wie ein hustender alter Mann, aber kurz darauf brummte er wie neu.

BRUMM! BRUMM! BRUMMM!

Konnte Spaceboy etwa zaubern?

15. KAPITEL

EIN RIESIGER ADLER

BOAH!», rief Ruth mitten in dem Getöse. «Wie hast du das gemacht?»

«Ich habe ein Händchen für Maschinen. Meine fliegende Untertasse habe ich auch selbst gebaut!»

«BOAH!», rief Ruth noch einmal. «He! Ich hatte gerade eine tolle Idee! Wir könnten dir zusammen eine neue fliegende Untertasse bauen! Und weil wir doch jetzt Freunde sind, beste Freunde, also ABFs ...»

«Also WAS?»

«Allerbeste Freunde! Dann könntest du mich vielleicht, also ganz vielleicht, zu deinem Planeten mitnehmen!»

«Mmh», grübelte Spaceboy. Er klang nicht überzeugt. «Mal sehen!»

Ruth war bereits viel zu aufgeregt, um es zu bemerken. Sie stieg auf den Traktor. Vielleicht könnten all ihre **TRÄUME**, hier wegzukommen, doch noch wahr werden! Sie riss am Schaltknüppel.

KNIRSCH!

Natürlich hatte sie den Traktor noch niemals wirklich gefahren, daher schoss das Ding davon wie ein Bulle beim Rodeo.

WROMMM!

Der **Außerirdische** und der kleine Hund sprangen gerade noch aus dem Weg, ehe der Traktor gegen das Garagentor knallte.

BUFF!

Und einfach durch die Holzplanken brach.

KARACKS!

«HILFE!», schrie Ruth. Sie riss
erneut am Schaltknüppel.

KNIRSCH!

Diesmal schaltete sie
den Traktor in den Rück-
wärtsgang.

BRUMM!

BUFF!

Er durchbrach die
nächste Garagenwand.

KARACKS!

Da nun zwei Wände zerstört
waren, gaben auch die Reste
des Daches nach.

POLTER!

Um weiteren Schaden zu
vermeiden, riss Ruth abrupt

das Lenkrad herum. Aber nun begann der Traktor rückwärts im Kreis zu fahren wie ein Hund, der seinem eigenen Schwanz nachjagt.

SCHWIRR!

«HILFE!», schrie Ruth erneut. Spaceboy humpelte hinter der durchgehenden Bestie her und sprang schließlich auf. Dann trat er scharf auf die Bremse.

STAMPF!

Stockend und schlingernd kam die Maschine zum Stehen.

STOTTER! SPOTZ!

Schließlich ging der Motor aus.

KAUM WAR RUHE, KONNTEN ALLE EIN FERNES SUMMEN VERNEHMEN.
ES KLANG, ALS NÄHERE SICH EIN SCHWARM VON RIESENBIENEN.

ALS SIE NACH OBEN SAH, KONNTE SIE IN DER FERNE EINE FLOTTE VON HUB-SCHRAUBERN AUSMACHEN. SIE FLOGEN IN GEORDNETER FORMATION, AUSGEBREITET WIE DIE FLÜGEL EINES RIESIGEN ADLERS. AM SCHLIMMSTEN ABER WAR, DASS SIE DIREKT AUF DIE FARM ZUHIELTEN. AN IHREN NEUEN FREUND GEWANDT, SAGTE RUTH:

«DU HAST RECHT. ES GIBT WIRKLICH ÄRGER. RIESENÄRGER! SIE KOMMEN DEINETWEGEN, SPACEBOY. SIE KOMMEN ALLE DEINETWEGEN!»

ZWEITER TEIL

EXTRATERRESTRISCH

16. KAPITEL

TÖDLICHES HASENFUSS-RENNEN

Eine Helikopterflotte am Himmel bedeutete DRA-MATISCHES. Schließlich handelte es sich um eine Stadt, in der nie etwas Aufregendes geschah. Hier landete sogar ein vermisster Stiefel auf der Titelseite der Lokalzeitung.

FARMER POSTHORN

HUHN ÜBERQUERT
STRASSE.
ABER WARUM?

FARMER POSTHORN

LOCH IN EIMER ENTDECKT –
STADT UNTER
SCHOCK

FARMER POSTHORN

KLOSPÜLUNG
DEFEKT

FARMER POSTHORN

STIEFEL AUF
SCHLAMMIGEM
ACKER VERLOREN –
DEM FINDER WINKT
1 CENT BELOHNUNG

Während das Surren der Rotorblätter immer lauter wurde, schrie Ruth durch das Getöse: «WIR MÜSSEN DICH VERSTECKEN, SPACEBOY! UND ZWAR SOFORT!»

Der arme Juri zitterte vor Angst über den ohrenbetäubenden Krach. Der kleine Hund sprang Ruth auf die Arme und drängte sich an sie, während sie sich in der Garage nach dem besten Versteck umsah.

In einer Ecke waren Strohballen aufgestapelt. Ruth ordnete die großen gelben Ballen hastig so an, dass sie sich alle drei darunter verstecken konnten.

«PERFEKT! HIER DRÜBEN!»

Als Erstes schob sie Spaceboy an seinem hohen Helm darunter, dann zwängte sie sich mit Juri ebenfalls in den Spalt.

Doch die Hubschrauber mussten ihnen bereits auf der Spur sein, denn sie stoppten ab und schwebten direkt über der Garage.

Ihre Rotorblätter verursachten den reinsten Wirbelsturm!

WUSCH!

Als Erstes begannen die noch stehenden Garagenwände zu wackeln.

KLAPPER!

Als Nächstes flogen die Überreste des verrosteten Blechdachs davon.

KLONG!

Dann kippte eine der verbliebenen beiden Wände um.

KRACH!

Es war wie eine Szene aus einer Stummfilm-komödie, nur dass es gar nicht lustig war, sondern todernst.

Und schließlich wirbelten die Strohballen, unter denen sie sich versteckt hatten, durch die Luft.

WUSCH!

Wie Ameisen, die sich unter einem Stein versteckt hatten, waren die drei im Handumdrehen entdeckt. Ruth kam sich vor wie eine Idiotin. Ihr ach so schlaues Versteck war in Sekundenschnelle aufgeflogen. Aber noch gab sie den Kampf nicht auf.

«Der Traktor!», schrie sie mitten im Lärm der wirbelnden Rotoren. Mit Juri auf dem Arm kletterte sie auf den Traktor, hinter ihr sprang Spaceboy auf und hielt sich fest.

Sie drehte den Schlüssel im Zündschloss, und ...

BRUMM!

... der Traktor machte einen Satz und preschte durch die letzte verbliebene Holzwand der Garage.

BERST!

Als die drei aufs offene Feld hinausrasten, schaute Ruth über ihre Schulter. Die Hubschrauber wurden von finsteren vermummten Piloten gesteuert. Sie setzten ihnen im Tiefflug nach.

Jetzt schwebten sie zu beiden Seiten des Traktors! Ruth geriet in Panik. Mit diesem alten Ding konnten sie ihnen unmöglich entkommen.

«DU ERLAUBST?», brüllte Spaceboy.

Er beugte sich vor und riss am Schaltknüppel.

KNIRSCH!

Plötzlich beschleunigte der Traktor.

WROMM!

In Sekundenschnelle hatten sie die Hubschrauber hinter sich gelassen.

Auf Ruths Gesicht breitete sich ein hämisches Grinsen aus. Doch das Grinsen verschwand ebenso schnell, wie es gekommen war, als sie sah, dass der Wagen des Sheriffs über die Felder raste. Und diesmal saß jemand mit einer Flinte oben auf dem Dach!

Tante Dorothy!

Der Sheriff musste sie als Ausguck angeheuert haben. Soeben hatte sie ihre Nichte entdeckt, die auf einem Traktor vor einer Hubschrauberflotte floh. Wenn einem irgendetwas garantiert Hausarrest einbringen würde, dann das!

Das Polizeiauto machte einen Schwenk und raste nun geradewegs auf sie zu. Das Auto und der Traktor lieferten sich jetzt ein tödliches Hasenfußrennen.

Wer von ihnen würde zuerst nachgeben?

17. KAPITEL

AUSRITT AUF EINEM STRAUSS

In wenigen Sekunden würden der Polizeiwagen und der Traktor zusammenstoßen.

PENG! PENG!

Tante Dorothy feuerte Warnschüsse in die Luft.

Der Lärm der Schüsse schien das Vieh aufgeschreckt zu haben, denn plötzlich liefen ihnen die Kuh und der Stier in den Weg.

«MUUH!»

Ruth hatte die alte Kuh und den noch älteren Stier im Laufe der Jahre recht lieb gewonnen. Sie würde nie etwas tun, was sie in Gefahr brachte. Also riss sie das Lenkrad des Traktors herum.

WROMM!

Genau im gleichen
Moment änderte
auch der Sheriff
den Kurs. Allerdings
fuhren er und Tante
Dorothy viel schnel-
ler, und durch die
plötzliche Richtungs-
änderung hob das
Polizeiauto mit zwei
Rädern vom Boden
ab und kippte dann
ganz auf die Seite.
Es **rutschte**
noch ein ganzes Stück
über das Feld, ehe es
zum Stehen kam.

KADENG!

Ruth sah erschrocken über die Schulter. Hatte sie
etwa einen Unfall verursacht? Zum Glück waren
Tante Dorothy und der Sheriff unversehrt. Die alte
Frau band sich vom Dach los und rutschte auf die
Erde, während sich der Sheriff aus dem Autofenster
zwängte. Dann tat Tante Dorothy etwas Außer-
gewöhnliches. Sie sprang auf den Rücken der Kuh

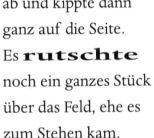

141

und ritt auf ihr los wie auf einem Pferd.

«MUH!»

«HÜA!»

Um nicht außen vor zu bleiben, nahm der Sheriff Anlauf und sprang auf den Rücken des Stiers.

«MUH!»

«HÜA!»

Unglücklicherweise landete der Sheriff verkehrt herum, sodass sein Hintern nach vorn zeigte, als der Stier losgaloppierte. Der Sheriff krallte sich mit aller Kraft am Fell fest, aber der Stier machte Bocksprünge, als wäre er beim Rodeo.

Ruth, Spaceboy und Juri wurden nun also verfolgt von: einer Flotte von Helikoptern ... einer alten Frau auf einer Kuh und dem Sheriff, der verkehrt herum auf einem bockenden Stier saß.

All das lenkte Ruth dermaßen ab, dass sie nicht mehr auf den Weg achtete. Obwohl Spaceboy schrie:

«PASS AUF!»

... und Juri heulte wie ein Wolf ...

«JAUUU!»

... fuhr der Traktor mit Karacho gegen eine Steinmauer.

KADENG!

Die Wucht des Aufpralls katapultierte alle drei in die Luft.

WUSCH!

Die drei landeten im verschlammten **Straußen**gehege.

PLITSCH! PLATSCH! PLOTSCH!

Ruth, Juri und Spaceboy waren nicht nur von Kopf bis Fuß voller Schlamm, sie steckten auch mit den Füßen (und Pfoten) darin fest.

Die Hubschrauber schwebten nun drohend über ihnen.

Die Kuh und der Stier sprangen über die Mauer und landeten im Schlamm neben dem **Straußen**gehege.

PLATSCH! PLOTSCH!

Die drei saßen in der Falle, und die **Strauße** zockelten bereits auf sie zu. Sie konnten jeden Moment totgepickt werden.

PICK! PICK! PICK!

Diese Vögel konnten grausam sein.

Im nächsten Moment hatte Ruth eine Idee, die total verrückt, aber möglicherweise auch genial war. Tante Dorothys **Strauße** würden endlich für etwas gut sein.

«Lasst uns auf den **Straußen** reiten!», schlug Ruth vor.

«BIST DU BEKLOPPT?», fragte Spaceboy.

«JA!», erwiderte Ruth stolz.

Sie wusste, dass die Vögel zwar nicht fliegen konnten, aber dafür erstaunlich gute Läufer waren. Mit einem ungeheuer beherzten Satz sprang sie einem der **Strauße** auf den Rücken.

HOPP!

Der Vogel versuchte, sie auf der Stelle abzuwerfen.

<<URRRG! URRRG! URRRG!>>

Aber Ruth klammerte sich fest und drehte seinen Kopf nach vorn.

«HÜA!», befahl sie.

Der Vogel verstand kein Wort, also gab sie ihm einen Klaps auf den Hintern.

PATSCH!

<<URRRG!>>

Im nächsten Moment zockelte der **Strauß** los, und Ruth hopste auf seinem Rücken auf und nieder.

«KOMMT SCHON!», schrie sie den anderen beiden zu.

Spaceboy musterte die **Straußen**vögel zögernd. Doch beim Anblick von Tante Dorothy, die auf ihrer Kuh die Flinte senkte und schrie …

«GLEICH HAB ICH DICH, DU **ALIEN**-LÜMMEL!»

… traf er eine Entscheidung. Er sprang einem **Strauß** auf den Rücken.

HOPP!

<<URRRG!>>

Tante Dorothy gab auf ihrer Kuh einen weiteren Warnschuss ab.

PENG!

Mehr Aufmunterung brauchte Spaceboys **Strauß** nicht. Mit dem auf und nieder hopsenden **Alien** auf dem Rücken schoss er *wie der Blitz* davon.

SAUS!

Damit blieb nur Juri übrig. Der dreibeinige Hund schüttelte den Kopf und nahm Anlauf. Er landete auf dem Rücken eines **Straußen**babys.

«URRRG!»

Das Kleine schoss ebenfalls davon.

Jetzt rasten alle drei auf **Straußen** durch das Gehege. Die anderen Vögel sprangen hastig aus dem
Weg.

«URRRG!»

«URRRG!»

«URRRG!»

Tante Dorothy und der Sheriff, die ihnen auf der Kuh und dem Stier DICHT AUF DEN FERSEN waren, hatten inzwischen das Gatter geöffnet und kamen ins Gehege.

Dann machten sie das Gatter hinter sich wieder zu.

Ruth, Juri und Spaceboy saßen endgültig in der Falle.

18. KAPITEL

ABFLUG

Das **Straußen**gehege war von einem hohen Drahtzaun umgeben.

«Es gibt nur eine Möglichkeit!», rief Ruth. «Wir müssen die **Strauße** zum Fliegen bringen!»

«DIESE VÖGEL KÖNNEN NICHT FLIEGEN!», widersprach Spaceboy.

«Sie haben es bloß noch nicht gelernt. Wir müssen es ihnen beibringen!»

Juri schüttelte ungläubig den Kopf.

Tante Dorothy auf ihrer Kuh und der Sheriff auf dem Stier kamen unseren Helden jetzt gefährlich nah.

Ruth wendete ihren **Strauß**, sodass sie einen ordentlichen Abstand zum Zaun hatte. «Kommt, wir machen es zusammen», sagte sie. «Wir müssen sie dazu bringen, so schnell zu laufen, wie sie können! Und jetzt HÜA!»

Sie drückte dem **Strauß** die Fersen in die Seite, und

der Vogel trippelte noch schneller. Spaceboy und Juri taten das Gleiche.

«URRRG!»

«URRRG!» **«URRRG!»**

Die Vögel schlugen mit den Flügeln und versuchten, vom Boden abzuheben. Entweder das, oder sie würden geradewegs gegen den Drahtzaun laufen.

«NOCH NICHT! NOCH NICHT!», befahl Ruth.

Dann, genau im richtigen Abstand zum Zaun, schrie sie: «SPRINGT!»

Die **Strauße** wussten, was zu tun war. Sie sprangen hoch in die Luft, schlugen mit den Flügeln und segelten über den Zaun.

FLATTER! FLATTER! FLATTER!

«URRRG!»
    «URRRG!»
        «URRRG!»

Ruth war sprachlos. Sie hatten es geschafft! Sie waren frei!

Doch gerade als Ruth, Spaceboy und Juri in die Luft aufstiegen, senkten sich die Hubschrauber hinter ihnen ganz tief herab.

SCHWIRR!

Die vermummten Gestalten beugten sich aus den Türen. Sie hielten **riesige** Haken in den Händen. Ehe die drei wieder auf dem Boden landeten, wurden sie einer nach dem anderen vom Rücken ihres Straußenvogels gepflückt.

Ruth hing mit ihrer Schlafanzughose am Haken.

«AAAH!»

WUSCH!

Spaceboy wurde hinten an seinem silbernen Rauman-zug gepackt.

WUSCH!

«UMPF!»
Juri packten
sie am Gürtel.

WUSCH!

«WAU!»

Die drei wurden in die Luft gezerrt.

«HILFE!», schrie Ruth.

«NEIIIN!», klagte Spaceboy.

«RRUURRHHH!», jaulte Juri.

«RUUUUUUUUUUUUUUUUUUUUUUU
UUUUUUUUUUUUUUUUUUUUUUUUU
UUUUUUUUUS!», brüllte Tante Dorothy.

Doch es war zu spät. Das Mädchen war längst verschwunden.

Während sie durch die Luft schwebte, fiel Ruth etwas Seltsames auf. Auf der Nachbarfarm ragten auf einem Feld drei große tarnfarbengrüne Lastwagen auf. Neben ihnen aufgereiht standen weitere Gestalten in Strahlenschutzanzügen. Die Anzüge ähnelten denen, die Imker tragen. Jedenfalls wenn sie riesige RADIOAKTIVE Bienen züchten würden.

Die Gestalten trugen:

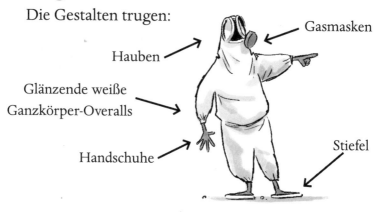

Gasmasken

Hauben

Glänzende weiße
Ganzkörper-Overalls

Handschuhe

Stiefel

Es war klar, dass sie kein Risiko eingehen wollten.

In der Nähe der Lastwagen lagen drei große Plastikkreise auf dem Boden. Sie sahen aus wie nicht aufgepumpte Planschbecken. Ehe Ruth sich Gedanken machen konnte, um was es sich dabei wohl handelte, wurde sie in einen der Kreise abgelassen, genau wie Spaceboy und Juri.

Die Gestalten in den Strahlenschutzanzügen umschwärmten Ruth, den Hund und den **Außerirdischen.** Als Erstes lösten sie die drei von den Haken. Dann schubsten sie sie genau in die Mitte ihres jeweiligen Kreises. Und schließlich drückten sie an drei kleinen Geräten auf einen Knopf, woraufhin sich die Plastikkreise aufzublasen begannen.

PFT!

PPFFTT!

PPPFFFTTT!

Im Handumdrehen waren die drei in riesigen durchsichtigen Plastikbällen gefangen. Die Gestalten in den Strahlenschutzanzügen befestigten Seile oben an den Plastikbällen. Die Hubschrauber schwebten wieder tief herab, und die Seile wurden auch an ihnen befestigt.

Alles klappte wie am Schnürchen.

Ein Signal ertönte, und plötzlich ...

WUSCH!

... s^c^hw^e^bt^e^n die drei durch die Luft.

19. KAPITEL

BÄLLE

Auch wenn Ruth es schrecklich fand, in diesem gigantischen durchsichtigen Plastikball zu stecken, hoffte sie doch, dass unten am Boden jemand sie erkennen würde. Schließlich baumelte man nicht alle Tage in einem riesigen durchsichtigen Plastikball an einem Hubschrauber.

Erfreulicherweise sausten die Hubschrauber direkt über das verstaubte alte Städtchen. Den Leuten, die staunend und mit offenem Mund zu ihr hinaufschauten, rief sie zu:

«HALLO, IHR DA! HIER IST RUTH VON DER FARM! TUT MIR SEHR LEID, DASS ICH NICHT ANHALTEN KANN!»

Sie flog! Sie FLOG zum ersten Mal in ihrem Leben! Es war ein ganz zauberhaftes Gefühl. Auf dieses Erlebnis hatte sie ihr Leben lang gewartet. Und jetzt geschah es wirklich.

Dann stiegen die drei Hubschrauber mit unglaublicher

Geschwindigkeit in die Wolken auf. Mit einem Mal wurde Ruth bewusst, wie groß der Abstand zwischen ihren Füßen und dem Boden war, und das gefiel ihr gar nicht. SCHLUCK!

Sie hielt es für das Beste, nicht nach unten zu schauen. Stattdessen drehte sie sich nach rechts und sah ihren mächtig verwirrten dreibeinigen Hund in seinem Plastikball **auf** und ab hüpfen. Juri war es

gewohnt, hinter Bällen herzulaufen, aber nicht, in einem gefangen zu sein.

BOING! BOING! BOING!

Im Ballon zu ihrer Linken sah Spaceboy aus, als könnte er einfach nicht aufrecht stehen bleiben. Trotz ihrer Schlafanzugbandage schien ihm sein vertracktes

Knie immer noch Probleme zu bereiten. Im nächsten Moment lag er auf dem Rücken wie ein umgedrehter Käfer.

Davon unbeeindruckt begann Spaceboy seinen durchsichtigen Ball hin und her zu schwingen.

Zuerst nur langsam, aber dann kam er immer mehr in Schwung.

Währenddessen flogen sie über tiefe Abgründe, die Gipfel brauner, mit Sträuchern bewachsener Berge und Seen so groß wie Ozeane.

Der Ball schwang hin und her.

WUSCH!

   WUSCH!

      WUSCH!

Das Ganze war total **BALLABALLA!** Nein, es war sogar **BALLABALLABALLA!**

Spaceboys Ball stieß gegen Ruths Ball …

BOING!

Und ihr Ball stieß wiederum gegen Juris.

BOING!

Juris Ball knallte zurück gegen Ruths …

BOING!

Und ihr Ball wiederum gegen Spaceboys.

BOING!

Es war wie beim Spielen mit Klick-Klack-Kugeln.
Einem fatalen Spiel mit Klick-Klack-Kugeln.
Einem Spiel, das Ruth unbedingt beenden musste!
SOFORT!
JETZT SOFORT!
NEIN, NICHT MAL DAS!
NOCH SCHNELLER ALS DAS!
BEVOR ES ÜBERHAUPT ANGE-
FANGEN HATTE!
Was das Ganze zu einer tödlichen Gefahr mach-
te, war der Umstand, dass die schwingenden Bälle
den Rotorblättern der Hubschrauber gefährlich nah
kamen. Jeden Moment konnte einer dieser Bälle plat-
zen wie ein Luftballon.

PENG!

Wer auch immer sich darin befand … ob Mensch,
Tier oder **Alien** … würde als Tomatenketchup enden.
SPRATZ!
«STOPP!», schrie Ruth Spaceboy zu, aber es war zu
spät.

Spaceboys Ball stieß gegen ihren.

BOING!

Die Wucht des Aufpralls schleuderte Ruth von den Füßen.

Als sie nach oben schaute, sah sie die Hubschrauberpiloten zu ihnen hinunterstarren. Ihren Mienen zufolge waren sie in schrecklicher **Panik**. Wer konnte es ihnen verdenken? Das hier war nicht geplant. Wenn dieses **Alien** so weitermachte, würden sie noch alle abstürzen. Auch die Hubschrauber.

Die Landschaft unter ihnen veränderte sich schnell. Der Flickenteppich aus Feldern war nur noch eine ferne Erinnerung. Inzwischen flogen sie in eine riesige Wüste hinaus, die aussah wie die Oberfläche eines fremden Planeten. Dass es sich um den Planeten Erde handelte, verriet einzig und allein eine lange, gerade Straße, die zum Ende der Welt zu führen schien. Auf beiden Seiten dieser Straße erhoben sich riesige rote Felsen, Hügel und Berge.

Plötzlich taten die Piloten etwas, das Ruth in Superpanik versetzte, auch wenn die Männer keine

andere Wahl hatten. Sie begannen, die an ihrem Hubschrauber befestigten Seile zu lösen.

«NEIIIN!», schrie Ruth.

Aber es war zwecklos.

Innerhalb weniger Augenblicke waren die Seile frei.

KLONG!

Die drei purzelten in ihren Plastikbällen durch die
Luft.

«AAAH!», schrie Ruth.

20. KAPITEL

HOPSASA!

Die Zeit verhielt sich merkwürdig. Während Ruth, Spaceboy und Juri scheinbar kilometerweit in die Tiefe stürzten, verging sie schneller und langsamer zugleich.

Ruth sah vor ihren Augen ihr kurzes Leben vorüberziehen …

Ihre Ankunft auf der Farm, barfuß und mit einem Schild um den Hals

Tante Dorothys eisiger Blick

Der kleine dreibeinige Juri am Straßenrand, dem sie einen Schneebesen anpasste

Der Zeitungsartikel über den ersten Menschen im Weltall

Juri, als er das Teleskop fand

Die Entdeckung des **UFOs**

Die Entdeckung von Spaceboy

Der Ritt auf einem **Strauß**

Wie sie plötzlich in einem riesigen Plastikball gefangen saß

Und dieser Ball mit rasender Geschwindigkeit in die Tiefe sauste

Nein! Der letzte Teil war keine Erinnerung. Er geschah wirklich. Jetzt! *In diesem Moment!*

Doch es gab nichts, was Ruth dagegen tun konnte. Der Ball würde jeden Moment auf die Erde prallen. Und zwar fest. Ruth schloss die Augen.

Dann passierte etwas ganz **Wunderbares.**

Der Ball hopste! Er vollführte den größten Hopser, der je gehopst worden war.

BOING!

Und schon schoss er wieder hoch in die Luft. Genauso wie Spaceboys und Juris Bälle.

BOING! BOING!

Sie waren auf der Straße aufgedotzt und dabei nur knapp einem Überlandbus entgangen, der mit quietschenden Reifen anhielt.

QUIETSCH!

«HUUUP! HUUP!», hupte der Bus.

Und schon schossen die drei wieder hoch, hoch und immer HÖHER.

Doch nach den Gesetzen der Schwerkraft muss alles, was nach oben fliegt, irgendwann auch wieder herunterkommen.

BOING! BOING! BOING!

Wieder dotzten sie auf die Straße.

HUUP! HUUP!

Und noch einmal!

BOING! BOING! BOING!

Die Bälle hopsten und hopsten und hopsten. Drinnen versuchten die drei, den riesigen Felsen auf beiden Seiten der Straße auszuweichen, aber das war unmöglich.

Man hätte meinen können, sie befänden sich in einem riesigen Flipperspiel!

BOING! BOING! BOING!

Ruth machte einen heftigen Hopser.

BOING!

Juri hopste noch heftiger.

BOING!

Und Spaceboy hopste NOCH viel heftiger.

BOING!

Jetzt kullerten alle drei durch die Wüste.

«WUHUU!», schrie Ruth, denn sie fühlte sich FREI! Zum ersten Mal in ihrem kurzen Leben hatte sie das Gefühl, dass nichts und niemand sie aufhalten konnte.

Wie sehr sie sich doch täuschte.

Gerade tauchte am Horizont eine Reihe dunkler Umrisse auf. Doch erst als ihr Ball ein bisschen langsamer wurde und Ruth wieder klarer sehen konnte, erkannte sie, um was es sich dabei handelte.

Mondbuggys!

Sie fuhren wie Panzer auf Ketten, und der Fahrer saß in einem Strahlenschutzanzug oben in einer Kapsel. Jeder der Buggys hatte zwei lange Roboterarme. Am Ende des einen Armes saß ein Haken wie bei einem Greifautomaten auf dem Jahrmarkt. Am anderen war ein Laserblaster befestigt!

ZING!

Wer waren diese Gestalten, die sie unentwegt verfolgten? Ruth war entsetzt. Diese Kapuzenmänner waren einfach nicht aufzuhalten.

Ein Dutzend Mondbuggys steuerten nun direkt auf sie zu.

Die drei Freunde mussten die Richtung ändern.

Ruth schaute nach links.

Mondbuggys!

Ruth schaute nach rechts.

Noch mehr Mondbuggys.

Ruth schaute hinter sich.

Noch viel mehr Mondbuggys!

Alle kamen durch die Wüste auf sie zugedonnert.

WROMM!

Hinter ihnen wurden Wolken aus Staub und Sand in die Luft geschleudert.

WOMP!

Die Ketten der Mondbuggys machten mit dem Gelände kurzen Prozess: Während sie durch die Wüste rasten, um Ruth, Juri und Spaceboy einzukreisen, zertrümmerten sie kleine Felsen und wälzten Kakteen platt.

Schließlich kamen die Bälle fast nebeneinander zum Stehen.

Ruth hatte das Gefühl, das Kommando übernehmen zu müssen. Da es sich bei den anderen beiden um ein Alien und ein Tier handelte, schien es ihr die sinnvollste Vorgehensweise zu sein.

«Hört zu!», rief sie mit lauter Stimme. «Es gibt nur einen Weg, diesen Mondbuggys zu entkommen ...»

Juri legte den Kopf schief, als versuchte er, sie zu verstehen.

«... wir müssen über sie drüberhopsen!»

«WIE BITTE?», brummte Spaceboy.

«So!», rief Ruth und hüpfte auf und ab, damit ihr riesiger Ball wieder zu hopsen begann.

BOING! BOING! BOING! BOING!

Im nächsten Moment hüpften alle drei in ihren Bällen auf und ab.

BOING! BOING! BOING! BOING!

«GENAU!», rief Ruth, die sich Mühe gab, so zu klingen, als hätte sie nicht den geringsten Zweifel, dass ihr Plan prima funktionieren würde.

Die anderen beiden folgten ihrem Beispiel und begannen in ihren Bällen ebenfalls auf die Mondbuggys zuzuhopsen.

BOING! BOING! BOING! BOING!

Jetzt kam alles auf das richtige Timing an.

BOING! BOING!
BOING!

«WARTET NOCH!», rief sie und versuchte, Ruhe zu bewahren, während die Mondbuggys aus allen Richtungen auf sie zudonnerten. Der Kreis aus Mondbuggys kam immer näher.

«WARTET NOCH ... WARTET ... JETZT!», schrie Ruth.

Damit begann sie mit ihrem Ball so heftig zu hopsen, wie sie nur konnte.

BOING!

Wieder folgten die anderen beiden ihrem Beispiel.

BOING!

BOING!

ALLE DREI BÄLLE FLOGEN ÜBER DIE MONDBUGGYS.
SIE LANDETEN IN DER WÜSTE HINTER DEN FAHRZEUGEN.

DIE FAHRER DER MONDBUGGYS SCHIENEN DAS NICHT
VORHERGESEHEN ZU HABEN, DENN SIE STIESSEN
ALLE ZUSAMMEN.

KABUMM

WUSCH!

WIE IN EINEM GLAS
GEFANGENE INSEKTEN
VERSUCHTEN DIE
MONDBUGGYS,
ÜBEREINANDER WEGZU-
KLETTERN, ABER OHNE
ERFOLG. SIE VERKEILTEN
SICH NUR NOCH MEHR
INEINANDER.

RUTH KONNTE DEN
BLICK GAR NICHT
ABWENDEN VON DER
KARAMBOLAGE, DIE SIE
VERURSACHT HATTE.

Was schade war, denn dadurch achtete sie nicht darauf, wohin sie rollte.

«WAU! WAU!», bellte Juri, um sie zu warnen, aber sie war zu fasziniert von dem Durcheinander.

Ihr Ball rollte geradewegs gegen einen Kaktus.

PENG!

Er platzte auf der Stelle.

PUFF!

21. KAPITEL

POPOSTUPSER

Ruth fühlte sich, als wäre bei ihr die Luft genauso raus wie aus ihrem Ball. Sie wühlte sich dort, wo der Kaktus ein Loch hineingestochen hatte, aus dem Plastik. Die Gestalten in den Strahlenschutzanzügen krabbelten aus der Kapsel ihres Mondbuggys.

«LAUFT WEG ... ICH MEINE, ROLLT WEG!», schrie Ruth Juri und Spaceboy zu.

Keiner der beiden sah aus, als wollte er sie verlassen. Juri winselte und schaute schrecklich traurig drein. Er war Experte im Traurigschauen, vor allem wenn man ein Würstchen aß und er einem die Arbeit abnehmen und es selbst verschlingen wollte. So ein netter Hund.

Spaceboy schüttelte einfach nur den Kopf.

Die gesichtslosen Gestalten waren nur noch eine Armeslänge entfernt. Ruth musste schnell handeln, also kletterte sie auf einen Felsen. Von dort sprang sie auf Juris Ball.

«LAUF, JURI, LAUF!»,
schrie sie hinunter.

Der Hund wusste sofort, was zu tun war, und begann seinen Ball durch die Wüste zu treiben.

KULLER!

Oben gelang es Ruth, wie eine Zirkusartistin das Gleichgewicht zu halten und mitzulaufen.

In dem Moment, als eine der Gestalten nach Spaceboys Ball greifen wollte, rollte auch dieser davon.

KULLER!

Zwei Mondbuggys schafften es, sich aus dem Trümmerhaufen zu befreien, und setzten ihnen nach. Immer mehr gesichtslose Gestalten rappelten sich auf und sprangen auf die beiden Mondbuggys auf. Sie streckten die Arme aus, bereit, ihre Beute zu fangen.

Ruth rannte, so schnell sie konnte, sodass Juris Ball immer schneller und schneller rollte.

Inzwischen hatte der erste Mondbuggy Spaceboys Ball eingeholt. Die Spitze der Laserwaffe stupste ihn an.

PLOING!

Was den Ball nur noch schneller rollen ließ.

KULLER!

Spaceboys Ball überholte Ruth und Juri.

HUI!

Da sie ehrgeizig war, lief Ruth noch schneller und holte Spaceboy wieder ein.

PENG! PENG! PENG!

Die gesichtslosen Gestalten feuerten ihre Laserblaster ab. Rund um die Plastikbälle kam es zu Explosionen.

WUMM! WUMM! WUMM!

Ganz in der Nähe ragten Felsen wie riesige Grabsteine aus der Erde.

«HIER ENTLANG!», rief Ruth. «Vielleicht können wir sie abhängen!»

«Wenn du meinst», erwiderte Spaceboy skeptisch.

Die Richtung zu ändern, war schwieriger, als Ruth gedacht hatte, denn in dem Ball unter ihr befand sich ein kleiner Hund. Es war sogar so schwierig, dass Ruth aus dem Tritt kam und ausrutschte.

WUPPS!

«AAAH!», schrie sie. Sie fiel nach vorne, schaffte es aber, sich an der Außenseite des Balls festzuhalten, der nun alle **zwei Sekunden** über sie hinwegrollte.

«AUTSCH!»

«AUTSCH!»

«AUTSCH!»

Der arme Juri wusste nicht, was er tun sollte. Er war so erschrocken darüber, das an das durchsichtige Plastik gedrückte Gesicht seines Frauchens zu sehen, dass er vor Aufregung noch schneller lief, was alles nur noch schlimmer machte. Nun rollte der Ball **einmal pro Sekunde** über Ruth.

«AUTSCH!»

«AUTSCH!»

«AUTSCH!»

Die beiden Mondbuggys mit den gesichtslosen Gestalten, die auf ihnen durch die Wüste surften, kamen immer näher. Während Ruth mit dem Ball über das Gelände kullerte, stupste ihr der Laserblaster des ersten Mondbuggys in den Popo.

«UFF!»

Nun stieß sie alle halbe Sekunde einen Schmerzensschrei aus!

«AUTSCH!»

«UFF!»

«AUTSCH!»

«UFF!»

«AUTSCH!»

«UFF!»

Irgendwie war Ruth zu einer menschlichen Hupe geworden, die **hupte**, sobald Druck auf sie ausgeübt wurde.

Es war schwer zu sagen, ob Besucher von anderen Sternen Sinn für Humor haben. Jedenfalls bis zu diesem Moment, denn Spaceboy fand die Popostupserei einfach **urkomisch**.

«CHA! CHA! CHA!»

Jedes Mal, wenn Ruth in den Popo gestupst wurde, **schnaubte** er vor Lachen!

«AUTSCH!»

«UFF!»

«CHA!»

«AUTSCH!»

«UFF!»

«CHA!»

«AUTSCH!»

«UFF!»

«CHA!»

Ruths saure Miene wurde noch saurer.

«IN DEN HINTERN GESTUPST ZU WERDEN, IST, AUTSCH, ÜBERHAUPT NICHT KOMISCH, UFF!», schrie sie.

Aber das ließ Spaceboy nur noch mehr schnauben.

«CHA! CHA! CHA!»

Da Juri sein Frauchen beschützen wollte, knurrte er Spaceboy bei jedem **Schnauben** an.

«GRRR!»

Zusammen bildeten die drei ein Orchester aus lustigen Tönen.

«AUTSCH!»

«UFF!»

«CHA!»

«GRRR!»

«AUTSCH!»

«UFF!»

«CHA!»

«GRRR!»

«AUTSCH!»

«UFF!»

«CHA!»

«GRRR!»

Allerdings blieb keine Zeit, um es aufzunehmen, denn es galt, ernsthaft die Flucht zu ergreifen!

22. KAPITEL

SCHNAPP!

Die Plastikbälle rollten durch einen schmalen Spalt zwischen den Felsen. Für einen großen Plastikball war der Spalt zwar groß genug, aber zum Glück war er **nicht** breit genug für einen Mondbuggy. Als beide Mondbuggys gleichzeitig durch den Spalt fahren wollten, krachten sie geradewegs gegen die Felsen links und rechts.

KARACKS!

Die gesichtslosen Gestalten, die auf die Mondbuggys aufgesprungen waren, wurden durch die Wucht des Aufpralls in die Luft geschleudert.

Dann fielen sie wie Stoffpuppen zu Boden.

PLUMPS! PLUMPS! PLUMPS!

Die Mondbuggys waren so zertrümmert, dass sie sich keinen Millimeter mehr in irgendeine Richtung bewegen konnten.

Unsere Helden kullerten weiter durch den Felsspalt, doch als dieser sich verengte, blieben auch die Plastikbälle stecken.

QUETSCH! QUETSCH!

Die arme Ruth wurde unter Juris Ball eingeklemmt. «UMPF!», rief sie und machte einen Buckel, um das Ding wegzuschieben. Aber sosehr sie sich auch bemühte, der Ball rührte sich nicht vom Fleck.

Zu allem Übel rappelten sich nun auch die gesichtslosen Gestalten wieder auf, die von den Mondbuggys heruntergeschleudert worden waren. Sofort nahmen sie die Verfolgung unserer drei Helden durch den Felsspalt auf.

«WIR STECKEN IN DER KLEMME!», rief Ruth.

«Unglaubliche Kombinationsgabe», bemerkte Spaceboy, der immer noch in seinem riesigen Plastikball gefangen war.

Plötzlich hatte Ruth eine Idee. «Ich hab's! Vielleicht kann ich mich freibeißen!», rief sie.

«Ein Versuch schadet zumindest nicht», stimmte Spaceboy ihr zu.

«Ein ordentlicher Biss, und der Ball platzt vielleicht!»

SCHNAPP! SCHNAPP! SCHNAPP!, machte Ruth.

Aber ihre Zähne waren einfach nicht lang und spitz genug, um durch das Plastik zu dringen.

Im Inneren des Balls drückte Juri die Schnauze an Ruths Gesicht. Er versuchte, es abzulecken. Das machte er immer, wenn Ruth in Not war. Und genau das brachte sie auf eine andere Idee. Eine viel, viel bessere Idee!

«BEISS DU HINEIN, JURI! FASS!», schrie sie.

Juri bleckte die Zähne, und …

SCHNAPP!

… schon platzte der Ball wie ein Luftballon.

PENG!

Ruth rappelte sich auf, nahm ihren Hund auf den Arm und gab ihm einen dicken Kuss auf den Kopf.

«Muah! Braves Hundchen.»

«EINEN GESCHAFFT, EINEN HABEN WIR NOCH!», rief Spaceboy aus seinem Plastikball.

Juri wusste, was zu tun war.

SCHNAPP!

PENG!

Jetzt war auch Spaceboy frei.

«WIRKLICH braves Hundchen», lobte er Juri.

«Er ist der Beste! Wenn wir ins All fliegen, müssen wir ihn mitnehmen.»

«Einverstanden», erwiderte Spaceboy.

Ruth konnte sich nicht zurückhalten. Es war schon so lange her, dass sie jemand anderen als Juri umarmt hatte. Sie breitete die Arme aus und schlang sie um Spaceboy. Er hielt sie fest, und für einen Moment schien alles gut zu sein. Es war, als hätte Ruth einen Teil von sich wiedergefunden, der ihr gefehlt hatte.

Dann, ganz plötzlich, *war* dieser Teil tatsächlich verschwunden. Eine der gesichtslosen Gestalten packte Spaceboy am Arm und riss ihn brutal zurück.

ZACK!

«AAAH!», schrie Spaceboy.

«LASS MEINEN FREUND LOS!», schrie Ruth.

«RUTH! LAUF MIT JURI WEG, SOLANGE IHR NOCH KÖNNT!», schrie Spaceboy, während er davongeschleift wurde.

«ICH LASSE DICH NICHT IM STICH, SPACE-
BOY!», rief Ruth. «JURI, FASS!»

Der kleine Hund stürzte sich auf die gesichtslose
Gestalt.

«GRRR!»

Er biss in den Ärmel des Strahlenschutzanzugs und
ließ nicht mehr los.

«GRRR!»

Die Gestalt versuchte, den Hund abzuschütteln,
aber es war unmöglich.

«GRRR!»

Es war die perfekte Ablenkung!

Ruth packte Spaceboys anderen Arm und riss ihn,
so fest sie konnte, zurück.

«UMPF!»

Spaceboy war FREI!

«VERSCHWINDEN WIR, LOS!

LOS, LOS, LOS, LOS!», rief sie.

Mit Spaceboy an der Hand und Juri dicht hinter sich
rannte Ruth weiter durch den schmalen Felsspalt. Sie

wagte nicht, sich umzuschauen. Es würde sie nur aufhalten. Sie mussten weiter. Fort von der Gefahr.

Sie hatte keine Ahnung, dass sie direkt darauf zuliefen!

23. KAPITEL

RUTSCHPARTIE

Weiter vorn befand sich eine kleine Öffnung in den Felsen. Ruth, Juri und Spaceboy stürmten darauf zu und wären um ein Haar in den Tod gestürzt!

«STOPP!», schrie Ruth, als sie mit knapper Not am Rand des Kraters zum Stehen kamen.

Er war so tief, wie ein Wolkenkratzer hoch ist.

«BOAH!», rief der schwankende Spaceboy. Wenn sein angeschlagenes Knie jetzt nachgab, wäre das sein **Ende**.

Juri hatte nicht so viel Glück. Er war auf seinen drei Beinen und dem Schneebesen einfach zu schnell gewesen und sauste über den Rand! Schon rutschte der kleine Hund den Krater hinunter!

«WAU!», bellte er entsetzt!

Spaceboy konnte gerade noch sein Schneebesen-Bein packen.

ZERR!

Der **Außerirdische** zog Juri wieder herauf.

«Danke», sagte Ruth.

«Der kleine Kerl ist mir ans Herz gewachsen», sagte Spaceboy.

«Und du ihm!»

Juri schmiegte sich dankbar an Spaceboys Bein.

Krater wie dieser waren in der Wüste überall zu finden.

Die meisten stammten von Meteoriten, die vor Tausenden oder sogar **Millionen** von Jahren auf der Erde eingeschlagen waren. Dieser hier war so groß, dass er aussah, als wäre der Mond vom Himmel gefallen. Allerdings war er exakt kreisrund, was irgendwie verdächtig erschien. Und ganz unten auf dem Kraterboden ragte ein nackter Baum in die Höhe. Dabei befanden sie sich mitten in der Wüste. Hier gab es meilenweit keine Bäume.

Während Ruth über all das nachdachte, hörte sie Schritte hinter sich. Als sie über die Schulter sah, entdeckte sie nicht weit entfernt die gesichtslosen Gestalten. Sie hatten die Arme ausgestreckt, um sie zu packen.

«Jetzt gibt es kein Zurück mehr», sagte Ruth. «Wir können nur nach vorn.»

«DAS IST VIEL ZU GEFÄHRLICH!», dröhnte Spaceboy. «SIE SIND HINTER *MIR* HER! ICH WERDE MICH FREIWILLIG STELLEN!»

«NIEMALS! Ich weiß, was sie mit dir machen werden! Einem **Alien** aus einer anderen Welt! Experimente und so was!»

Ruth wandte sich den beiden gesichtslosen Gestalten hinter ihnen zu. «Hab ich recht?»

Die gesichtslosen Gestalten nickten.

«Aber wir können nicht weiter!», wandte Spaceboy
ein. «Sieh doch!»

Er zeigte auf ein Schild, auf dem stand:

EXTREM GEFÄHRLICHE GEFAHR!
NICHT BETRETEN! DENKT NICHT MAL DRAN! EHRLICH!
GEHT WEG ODER IHR STERBT!

«Wir haben keine Wahl», sagte Ruth. «Wir werden
wohl ein bisschen auf dem *Hintern rutschen*
müssen! Auf geht's!»

Damit nahm sie Spaceboy an der Hand und Juri an
der Pfote.

Gerade als die gesichtslosen Gestalten nach ihnen
griffen, sprang sie über den Rand und zog ihre Ge-
fährten mit sich.

«AAAH!», schrien die drei, als sie auf dem Hintern den Krater hinunterschlitterten.

WUSCH!

Anfangs waren die Kraterwände fast senkrecht.
Es war wie **ein freier Fall.**

Dann wurden die Wände schräger, und sie begannen zu rutschen.

«MEIN SPACEPOPO ÜBERHITZT!»,

schrie Spaceboy.

Sein silberner Raumanzug sprühte Funken.

BRUTZEL! BRATZEL! BRITZEL!

Der Krater war erstaunlich glatt, deshalb rutschten die drei mit Lichtgeschwindigkeit.

SAUS!

Hinter ihnen stoben rote Staubwolken auf.

WOMP!

Als Ruth sich umschaute, sah sie, dass sie mit dem Hintern den Staub von den Kraterwänden gerieben hatten!

Unter drei hinterngroßen Rutschstreifen kam eine **silberne** Oberfläche zum Vorschein.

Kein Wunder, dass es sich so glatt anfühlte und sie so schnell waren.

Das hier war kein gewöhnlicher Krater!

Er war aus Metall!

Er war von Menschen gemacht!

Gerade als Ruth das begriff, wurde ihr klar, dass sie direkt auf den Baumstamm zusteuerten.

Sie würden jeden Moment ...

DONG!

Zu spät! Sie waren gegen den «Baum» geprallt. Und zwar HEFTIG. Er war ebenfalls aus Metall.

Die Wucht des Aufpralls ließ Teile seiner Plastik-»Borke» herunterfallen.

KRÜMEL!

Als die drei auf einem Haufen auf dem staubigen Kraterboden landeten, wurde Ruth klar, wo sie sich befanden.

«DAS HIER IST KEIN KRATER! SEHT NUR! Das muss eine riesige Radarschüssel sein!», rief sie.

«Du hast recht, Ruth!», pflichtete Spaceboy ihr bei.

«WAU!», ergänzte Juri.

Beim Blick nach oben sahen sie, dass nun Hunderte von gesichtslosen Gestalten um den Rand der Radarschüssel herumstanden.

«Wir sind erledigt», sagte Ruth.

«Es muss doch einen Ausweg geben», sagte Spaceboy.

«Tut mir wirklich leid. Das war eine schlechte Idee. Wir hätten bleiben und kämpfen sollen», sagte Ruth.

«Gegen diese Armee?»

In diesem Moment spürten die drei, wie sich der Boden unter ihnen verschob.

Ein Spalt tat sich auf und *WUSCH!*

Schon stürzten sie in die Tiefe.

«AAAH!»

«UMPF!»

«WAU!»

24. KAPITEL

DIE INTERGALAKTISCHE WASCHANLAGE

Es war die längste Rutschpartie der Welt. Sie glitten eine gefühlte Ewigkeit in die Tiefe, ihre Schreie hallten in der Röhre wider.

«AAAH!»

«UMPF!»

«WAU!»

Ebenso abrupt, wie die Rutschpartie begonnen hatte, endete sie auch.

Ruth, Juri und Spaceboy landeten auf etwas, das sich wie eine **Sturzmatte** anfühlte.

PLONG!

PLONG!

PLONG!

Sie fanden sich auf dem Boden einer riesigen Höhle wieder. Einer ziemlich außergewöhnlichen Höhle, denn sie quoll förmlich über von Computern, Fernsehmonitoren und riesigen Karten des Sonnensystems. Wenn unsere Helden geglaubt haben sollten, dass sie die Gestalten in Schutzanzügen abgehängt hatten, waren sie schwer im Irrtum. Hier unten zwischen den Stalagmiten und Stalaktiten gab es viele Hundert mehr, und alle standen regungslos da und starrten die drei Besucher an.

Es war **UNHEIMLICH** still.

Ruth begann zu beten, dass irgendjemand – ob Mensch, Tier oder **Alien** – einen Ton von sich geben möge, um das Eis zu brechen. Doch leider tat das niemand.

Ein paar gesichtslose Gestalten ganz vorn hielten Laserblaster auf die drei gerichtet und bugsierten sie zu einem Förderband.

S C H I E B !

Das Band transportierte die drei in einen langen Glastunnel, der so breit war, dass ein Zug hindurchgepasst hätte. An der Außenseite des Tunnels fiepten überall Computer ...

BIEP! FIEP! PIEP!

... und um die Geräte herum huschten weitere Gestalten in Strahlenschutzanzügen. Sie drückten auf Knöpfe, drehten Schalter und studierten, was ihnen auf Monitoren angezeigt wurde. Ruth zitterte vor Angst. Es war, als befänden sie sich im Zentrum eines albtraumhaften Experiments. Sie sah Röntgenbilder ihres eigenen Skeletts. Hörte das Piepen von Herzüberwachungsgeräten und wurde fast geblendet von einem grellen roten Licht, das ihr direkt in ihre Augen leuchtete.

Was um alles in der Welt geschah mit ihnen?

Als Nächstes wurden die drei nass gespritzt.

SPRATZ!

Das Wasser war eiskalt.

Ruth blieb fast die Luft weg. «BRRR!»

Der ganze Dreck und rote Staub liefen an ihr herunter und auf das Förderband. Weiter ging es durch den Tunnel, als kleine Sprühköpfe erschienen und sie mit Seife bespritzten.

QUITSCH!

Es war keine normale Seife, sondern irgendeine stark riechende Chemikalie.

STINK!

Sie brannte ein bisschen. Und es fühlte sich an, als könnte sie einem die Haut verätzen, wenn man sie zu lange einwirken ließ.

BRUTZEL!

«GRRR!», knurrte Juri.

Spaceboy gab sich alle Mühe, sie abzuwischen.

Als Nächstes brachte das Förderband sie zu einem Ständer mit Roboterarmen, an deren Enden Waschlappen befestigt waren.

WISCH!

Die Arme fuhren hin und her und wuschen die ganze Seife sorgfältig wieder ab.

Dann folgte ein heißer Luftstrahl aus etwas, das aussah wie ein riesiger Haartrockner.

FÖHN!

Im Handumdrehen waren die drei knochentrocken. Juris Fell stand in alle Richtungen ab, sodass er aussah wie ein völlig anderer Hund.

Als Nächstes passierten sie kreisförmig angeordnete Sensoren, die ein merkwürdiges Geräusch von sich gaben.

S U M M !

Ein Laser scannte ihren Körper. Links und rechts von sich sah Ruth die Gestalten in Schutzanzügen hoch interessiert die Computermonitore studieren. Einer nickte dem anderen zu, und schließlich blieb das Förderband stehen.

SCHWUPP!

«Sollen wir sie in die Luft jagen, **Major?**», fragte eine der Gestalten.

Sofort richteten sich drei von Roboterarmen gehaltene Laserblaster auf unsere Helden.

Ruth kniff die Augen zusammen, so fest sie nur konnte.

Würde man sie jetzt verdampfen?

«Noch nicht, Captain», erwiderte eine gesichtslose Gestalt mit einer tiefen Stimme.

Äußerst erleichtert traten Ruth, Juri und Spaceboy aus dem Tunnel. Sie waren jetzt sauberer, trockener und deutlich verwirrter als beim Betreten des Tunnels.

Das Heer der Gestalten in Strahlenschutzanzügen teilte sich, um einer Person Platz zu machen. Auf ihrem Anzug prangte ein gesticktes Namensschild, auf dem stand: **MAJOR MAJORS. LEITER DER STRENG GEHEIMEN GEHEIMBASIS.** Das Tempo, mit dem die anderen zurückwichen, zeigte ohne jeden Zweifel, dass der Major ihr Anführer war. Er **klirrte, klimperte** und **klongte** bei jedem Schritt.

Einige Gestalten in der Menge hielten Filmkameras hoch, um den historischen Moment festzuhalten.

«Willkommen auf dem Planeten Erde», sagte der Major zu Spaceboy und hielt ihm seine behandschuhte Hand hin.

Der **Außerirdische** streckte ebenfalls den Arm aus, und ihre Hände berührten sich.

«WIR HABEN KONTAKT AUFGENOMMEN!», verkündete der Major.

Die anderen johlten und jubelten.

«JUHU!»

Der Händedruck des Majors musste unglaublich fest sein, denn Spaceboy schrumpfte zusammen wie eine vertrocknete Blume.

Als Nächstes nahm **Major Majors** seine Kopfbedeckung ab und zog seinen Schutzanzug aus. Darunter kam eine Armeeuniform zum Vorschein, die mit ungefähr hundert Orden geschmückt war. Was das ganze Klirren, Klimpern und Klongen erklärte. Der Major war nicht nur ein Kriegsheld, sondern sinnloserweise auch noch groß und erschreckend gut aussehend. Sein alterndes Filmstargesicht wurde von einem kurzen, adretten Armee-Haarschnitt umrahmt, der seinem Kopf eine beeindruckend quadratische Form verlieh. Er hatte stahlblaue Augen, einen strengen Mund, der aussah, als würde er niemals lächeln, und ein so kräftiges Kinn, dass man darauf eine Blumenvase hätte abstellen können.

«Alle drei wurden auf Viren und Strahlung untersucht», sagte er. «Das **Alien**, das Mädchen und der Hund. Wir sind nicht in Gefahr. Ich wiederhole. ES BESTEHT KEINE GEFAHR! LÄUTET DIE GLOCKE!»

Auf seinen Befehl hin ertönte eine Glocke.

BIMBAM!

Daraufhin legten auch alle anderen ihre Kopfbedeckungen und Strahlenschutzanzüge ab. Ein Meer von Gesichtern füllte die Höhle, eines verblüffter als das andere, und alle starrten mit großen Augen den

Außerirdischen an. Es waren Soldaten. Falls es den drei Gästen noch nicht gedämmert haben sollte, war spätestens jetzt klar, dass es sich bei der Höhle um eine Militärbasis handelte.

«Eure Verfolgung hat uns ganz schön auf Trab gehalten!», ergriff der Major das Wort. «Die Hubschrauber. Die Bälle. Die Mondbuggys. Und am Ende findet ihr von ganz allein hierher! Herzlich willkommen!»

«Tut mir wirklich leid, Spaceboy!», seufzte Ruth. «Ich habe dich direkt in die Höhle des Löwen geführt.»

Spaceboy zuckte mit den Schultern. «Früher oder später hätten sie mich sowieso erwischt.»

«DAS **ALIEN** KANN SPRECHEN!», verkündete *Major Majors*.

Wieder wurde gejohlt und gejubelt.

«JUHU!»

«Ja, natürlich kann ich sprechen!», schnaufte Spaceboy. «Wo sind wir hier?»

«In meiner **STRENG GEHEIMEN GEHEIM-BASIS»**, antwortete *Major Majors* stolz. «Sie ist **SUPERSTRENG GEHEIM,** weil wir, das US-Militär – das beste auf der Welt –, von hier aus den Himmel nach interplanetaren Raumschiffen absuchen.»

«Na ja, so **STRENG GEHEIM** ist Ihre Basis nun auch wieder nicht, schließlich haben wir sie ja gefunden», sagte Ruth.

«Der Krater da oben ist in Wirklichkeit eine riesige Radarschüssel», erklärte *Major Majors.*

«Ja, das habe ich auch schon kapiert», sagte Ruth und schlug sich genervt an die Stirn.

«Also schön, du Schlaumeierin! Die Radarschüssel hat die fliegende Untertasse entdeckt. Auf einen solchen Durchbruch haben wir seit Jahren gewartet. Sogar die Absturzstelle des **Alien**-Schiffes haben wir gefunden. Deshalb haben wir die Helis geschickt, um dich aufzuspüren, Spaceboy!»

«Nun, *Major Majors*», sagte Spaceboy. «Es war wirklich nett, dass wir Sie alle hier unten in Ihrer **STRENG GEHEIMEN GEHEIMBASIS** treffen durften. Viel Glück weiterhin mit Ihrem **STRENG GEHEIMEN GEHEIMKRAM.** Aber wenn Sie nichts dagegen haben, muss ich jetzt wirklich weiter.»

Spaceboy nahm Ruth an der Hand und wandte sich zum Gehen.

Doch hinter ihnen rief der Major: «Oh nein, mein kleiner E.T.! Du gehst **nirgendwohin!**»

DRITTER TEIL
GELIEBTES ALIEN

25. KAPITEL

DIE HUNDEHEIT

S CHLUCK!»

Ruth war sicher, dass sie Spaceboy unter seinem Helm laut schlucken gehört hatte. Der **Außerirdische** war nervös. Und das machte sie ebenfalls nervös.

«Spaceboy! Diese noch nie dagewesene Begegnung wird mir nicht nur einen weiteren Orden einbringen», erklärte **Major Majors,** der auf seine klirrende, klimpernde, klongende Brust wies. «Sie wird auch als der größte Moment in der Geschichte der Menschheit in die Geschichtsbücher eingehen!»

Es folgte stürmischer Applaus von seinem Team von militärischen Supercracks.

Als der Applaus endete, meldete sich Ruth zu Wort: «Vergessen Sie die Hundeheit nicht.»

«Was hast du gerade gesagt, Miss?», fragte der Major, der ihr seine stahlblauen Augen zuwandte.

«Die Hundeheit.»

«Die HUNDEHEIT?», stotterte er.

«Ja! Die Hundeheit!»

«Was meinst du mit ‹Hundeheit›?»

«Na, Hunde! Mein Hund hat den **Außerirdischen** nämlich zuerst gefunden», erwiderte Ruth.

Juri nickte und bellte. «WAU!»

Der Major drehte sich um. «Ist das wahr, Spaceboy?»

«Ja, das ist es. Der Hund ist auf meine fliegende Untertasse gesprungen. Ich habe im ersten Moment geglaubt, auf einem Hundeplaneten gelandet zu sein.»

Ruth musste lachen. «Ha! Ha!»

«Einem Hundeplaneten?», fauchte der Major.

«Das ist ein Planet, auf dem Hunde das Sagen haben.»

«Hunde haben auf einem Planeten das Sagen!», höhnte der Major. «Ich habe eine Katze, die Marilyn heißt. Eigentlich gehört sie meiner Mutter, aber wenn ich mich nachts einsam fühle, lässt Mama sie bei mir im Bett schlafen. Marilyn ist ein schlaues kleines Ding. Ich könnte mir einen Katzenplaneten vorstellen, auf dem Katzen das Sagen haben! Aber niemals einen Hundeplaneten!»

«GRRR!» Juri fletschte die Zähne und knurrte den Mann an.

Major Majors versuchte es noch einmal. «DIES IST DER GRÖSSTE MOMENT IN DER

GESCHICHTE DER MENSCHHEIT UND
DER HUNDEHEIT!»

Jetzt bellte Juri zustimmend. «WAU!»

Die Miene des Mannes wurde weicher, und er
streckte zaghaft die Hand aus, um Juri zu streicheln.

«Wie heißt denn dein Hund?», wollte er wissen.

«Fragen Sie ihn selbst!», erwiderte Ruth grinsend.

Ohne nachzudenken, wandte sich **Major Majors**
an den Hund.

«Wie ist dein Name, Hundchen?»

Daraufhin brachen Ruth und Spaceboy in schallen-
des Gelächter aus.

«HA! HA! HA!»

Major Majors begriff, dass man ihn auf den Arm
genommen hatte, und wurde **knallrot**.

«Er heißt Juri», sagte Ruth.

«Juri? Das klingt nach einem Russki!», blaffte der
Major.

Juri knurrte.

«Wenn Sie damit russisch meinen, haben Sie recht»,
sagte Ruth. «Aber dieser Ausdruck ist beleidigend,
auch für einen Hund. Ich habe ihn nach dem Kosmonauten **JURI GAGARIN** benannt. **GAGARIN** ist
mein Held.»

Der Besatzung der **STRENG GEHEIMEN GEHEIM-
BASIS** verschlug es kollektiv den Atem. Das war eine
schockierende Nachricht.

«Russen sind die Feinde der Amerikaner, nicht ihre
Helden! Das ist Gesetz!» *Major Majors* beugte sich
drohend über Ruth. «Du bist doch kein Russk… – ich
meine, du bist doch keine Russin, oder?»

«Nein», erwiderte Ruth gelassen.

«Und warum hast du deinen Hund dann nach einem Russen benannt? Das ist unamerikanisch!»

«Weil ich den Weltraum liebe. Deshalb. JURI GAGARIN war nun mal der erste Mensch im Weltraum. Und er kommt zufällig aus Russland. Aber wen interessiert das schon? Es hätte auch eine Frau sein können.»

«Eine Frau?», prustete der Major. «Im Weltraum?»

«Wieso denn nicht?», fragte Ruth.

Diese Frage verwirrte den **Major** offensichtlich.

«Nun, ich, äh …» Ihm schienen ausnahmsweise die Worte zu fehlen.

«Sprechen Sie weiter!», drängte ihn Ruth, die merkte, dass er dabei war, sich um Kopf und Kragen zu reden.

«Nun, äh, eine Frau im Weltraum, das würde einfach nicht funktionieren. Eine Frau würde Meteoriten anziehen oder rückwärts in **ein schwarzes Loch** fahren, Frauen sind nämlich nicht gut im Rückwärtsfahren, das ist eine Tatsache, und, äh …»

«Ja?», sagte Ruth, die nur darauf wartete, dass er sich noch tiefer in den SCHLAMASSEL hineinritt. Selbst seine Männer starrten jetzt beschämt zu Boden.

«Und, ähm, sie würden sämtliche Schokoladenrationen auf einmal aufessen! Es ist ja allgemein bekannt, dass Frauen in puncto Schokolade keinerlei Selbstbeherrschung haben!»

«WAS FÜR EIN HAUFEN SCHWACHSINN!», erklärte Ruth. «Und zwar ganz großgeschrieben! Frauen können alles, was Männer auch können, und zwar noch BESSER!»

Es folgte eine peinliche Stille, die nur von Spaceboys Klatschen unterbrochen wurde.

KLATSCH! KLATSCH! KLATSCH!

«Bist du jetzt fertig?», fragte der Major.

«Nein», antwortete Spaceboy und klatschte noch ein bisschen weiter.

KLATSCH! KLATSCH! KLATSCH!

Selbst Juri legte seine Pfoten zusammen und klatschte.

KLATSCH! KLATSCH! KLATSCH!

Schließlich hörten die beiden auf.

«Danke!», schnaufte der Major. «Also, Spaceboy, da wir uns schon lange auf **außerirdischen** Besuch vorbereitet haben, bringen wir dich jetzt ruckzuck in unseren ***Willkommen-auf-dem-Planeten-Erde-Raum!***»

26. KAPITEL

RAUSCH

Major Majors führte Spaceboy, Ruth und Juri in einen Winkel der Höhle, in dem eine Einschienenbahn wartete. Auf der Seite des Zuges stand **«STRENG GEHEIME GEHEIMBASISBAHN»**. Das Gefährt schnurrte durch das Gewirr der Höhlengänge. Unterwegs passierten sie Türen mit faszinierenden Aufschriften:

ALIEN-AUTOPSIE RAUM

WC (NUR FÜR MENSCHEN)

WC (NUR FÜR ALIENS)

REAKTORRAUM

BESTRAHLUNGSRAUM

INTERGALAKTISCHE BIBLIOTHEK (BITTE RUHE)

LAGERRAUM FÜR LASERBLASTER

DEKOMPRESSIONS-KAMMER

RADARRAUM

SNACKBAR

KINDERKRIPPE

Nachdem sie einige Zeit gefahren waren, hielt die Bahn abrupt vor einer Tür mit dem Schild:

DER WILLKOMMEN-AUF-DEM-PLANETEN-ERDE-RAUM

Drinnen sah es aus wie in einem brandneuen Kino mit riesengroßer Leinwand.

«SUPER!», rief Ruth. «Gibt es auch Popcorn?»

«NEIN!», fauchte **Major Majors.** «Also, Spaceboy, wir zeigen dir jetzt einen kurzen Film, um dich mit unserem Planeten vertraut zu machen. Er beinhaltet alle wesentlichen Informationen und beschleunigt den Willkommensprozess. Bitte nimm Platz. Ich bin gleich wieder da.»

Die drei setzten sich, wobei Juri es sich auf Ruths Schoß gemütlich machte.

Das Licht wurde gedämpft, und die Leinwand erwachte flackernd zum Leben.

Donnernde klassische Musik ertönte.

«WILLKOMMEN AUF DEM PLANETEN ERDE!»,
posaunte eine Stimme. Die gleichen Worte erschienen in riesigen Buchstaben auf der Leinwand.

Ruth war noch nie im Kino gewesen und hatte auch
noch nie ferngesehen, daher war sie sofort Feuer und
Flamme.

«Sie sind die erste **außerirdische Lebensform,**
die unseren Planeten besucht. Wir freuen uns sehr,
dass Sie sich entschieden haben, diesen kleinen Flecken
zu besuchen, den wir Heimat nennen. Wir Menschen
hoffen, dass Sie Ihren Aufenthalt genießen und unseren Planeten bald wieder besuchen werden. Vor allem
Amerika, das bei Weitem großartigste Land der Erde.
Unser Planet ist zwar nicht der größte im Sonnensystem, und von den anderen haben wir auch noch keinen besucht, aber wir halten die Erde trotzdem für die
Nummer eins. Der Grund dafür ist, dass die Erde voll
ist von etwas, das wir ... LEBEN nennen! Wir stellen Ihnen im Folgenden einige der Lebensformen vor,
denen Sie bei Ihrem Besuch hier begegnen werden. So
sehen wir Menschen aus: Das ist ein Mann.»

Sehr zu Ruths Belustigung winkte auf der Leinwand
eine nackte männliche Zeichentrickfigur.

«Ha! Ha! Ha!»

Es fühlte sich kindisch an zu lachen, aber schließlich winkt einem nicht jeden Tag ein nackter Cartoon-Mann zu.

«Und das ist eine Frau.»

Sehr zu Spaceboys Belustigung winkte auf der Leinwand nun eine nackte weibliche Zeichentrickfigur.

«Hi! Hi! Hi!», kicherte er unter seinem Helm.

«Die Menschen sind die klügsten Wesen auf der Erde.»

Jetzt war es an Juri zu lachen.

«HUH! HUH! HUH!»

«Das sind einige der Tiere, denen Sie während Ihres Aufenthalts auf unserem Planeten vielleicht begegnen werden. Dies ist ein Pferd. Und das ein Hund.»

Juri hechelte anerkennend.

«Das ist eine Katze.»

Juri sprang von Ruths Schoß und begann, die Katze auf der Leinwand anzubellen.

«WAU! WAU! WAU!»

«JURI!», rief Ruth, aber der kleine Hund war nicht mehr zu halten. Er flitzte hinter die Leinwand, um zu sehen, wo sich die Katze wohl versteckte. Ruth rannte ihm nach und versuchte, ihn zu packen, aber er war zu schnell. «KEINE KATZE! KEINE KATZE!»

«WAU! WAU! WAU!»

Kaum hatte sie Juri erwischt, riss er sich wieder los.

«DA IST KEINE KATZE!»

Aber Juri sah und hörte nichts.

«WAU! WAU! WAU!»

Immer und immer wieder umkreiste er die Leinwand.

«HILF MIR, SPACEBOY!», schrie Ruth, aber der rührte sich nicht. «JETZT GLEICH!», befahl sie.

Ruth konnte sehr resolut sein, wenn sie wollte. Also sprang der **Außerirdische** augenblicklich auf und flitzte ans andere Ende der Leinwand, wo er Juri zu erwischen hoffte.

Allerdings hatte das ganze Gerede über Katzen Juri in einen regelrechten **RAUSCH** versetzt. Er rannte wieder zur Vorderseite der Leinwand und bellte und bellte die Katze an, die dort oben zu sehen war.

«WAU! WAU! WAU!»

Dann nahm er Anlauf. Beim Absprung riss er die Schnauze weit auf, um nach der Katze zu schnappen.

«GRRR!»

Er knallte gegen die Leinwand und durchschlug sie.

RATSCH!

Als er auf der anderen Seite
wieder herauskam, prall-
te er gegen Spaceboy,
den er hart am
Kopf traf.

RUMMS!

Noch härter.

RRUUMMMMSS!

Schon besser.

Der **Außerirdische** kippte rückwärts um.

Als er auf dem Boden aufschlug – KLONG –,
rutschte ihm sein großer Helm vom Kopf. Zum ersten Mal kam sein Gesicht zum Vorschein!

Und Ruth hätte über das,

was sie zu sehen

bekam, nicht

schockierter sein

können.

27. KAPITEL

NUR EIN JUNGE

Es war das Gesicht eines Jungen. Und keineswegs ein **Alien**. Nur ein ganz normal aussehender Junge, der aufstand und sich die behandschuhten Hände vors Gesicht hielt. Aber es war zu spät. Sein Geheimnis war gelüftet.

«Du bist bloß ein Junge!», flüsterte Ruth.

«Ich weiß», sagte er mit erstaunlich hoher Stimme. «Es tut mir leid, dass ich dich angelogen habe!»

Ruth fühlte sich verletzt. Verraten. Wütend. Verwirrt. Ihr stiegen Tränen in die Augen.

«Ich dachte, wir wären Freunde.»

«Das sind wir auch.»

«Nein, sind wir nicht. Ich habe vorher noch nie einen Freund gehabt. Und dann finde ich endlich einen, aber es ist alles nur ein grausamer Trick!»

«Ich wollte dich nicht reinlegen!»

«Hast du aber! Ich hasse dich!»

Der Junge schüttelte den Kopf. «Bitte hasse mich nicht. Ich kann es dir erklären.»

«Wer bist du?», fragte Ruth ihn wütend. Sie konnte es nicht ausstehen, wenn man sie für dumm verkaufte.

Der Junge zögerte. «Mein richtiger Name ist Kevin.»

«Ein Alien, der Kevin heißt! Na klar!»

«Ich bin nur ein Junge. Ein Junge, der Kevin heißt, und kein Alien. Ich wohne in deiner Nachbarstadt.»

«Was?» Das Ganze wurde immer seltsamer.

«Ich wollte von zu Hause weglaufen.»

«Warum?»

«Wegen meinem Großvater. Er hasst mich.»

«Du lebst bei deinem Großvater?»

«Ja.» Der Junge hielt inne. «Meine Eltern sind tot.»

Ruth starrte ihm ins Gesicht. «Meine auch», sagte sie schließlich.

Der Junge kam einen Schritt auf sie zu. «Mein Großvater trinkt den ganzen Tag Whiskey. Und seine Wut
auf die Welt lässt er an mir aus.»

«Das macht meine Tante auch. Nur den Whiskey
lässt sie weg. Sie macht es nüchtern.»

«Das habe ich gesehen. Und gehört», sagte der Junge.
«Aber das erklärt immer noch nicht, warum du getan
hast, als wärst du ein **Alien**, verdammt!»

Der Junge sammelte sich kurz.

«Ich habe schon oft versucht, von zu Hause wegzu-
laufen. Aber Großvater hat mich immer erwischt und
mich dann bestraft. Ich durfte den Wohnwagen tagelang nicht verlassen. Ich durfte meine Freunde nicht
treffen. Manchmal durfte ich wochenlang kein einziges
Wort sagen.»

«Das klingt nach Folter.»

«Ist es auch. Also wusste ich, dass ich größer denken musste. Ich musste irgendwohin, wo Großvater
mich nie finden würde. Deshalb entschied ich mich für
den Weltraum!»

«Für den *Weltraum*?»

«Genau.»

«Du wolltest …», Ruth brachte es kaum über die
Lippen, so fantastisch war die Vorstellung, «… in den
Weltraum weglaufen?»

«Warum nicht? Ich hatte nichts mehr zu verlieren.»

Ruth wusste einen Moment lang nicht, was sie sagen sollte. Sooft sie auch davon träumte, ins All zu fliegen, so wenig konnte sie sich vorstellen, etwas so Gefährliches wirklich zu tun. «Aus einer Million Gründen! Wie in aller Welt wolltest du das überhaupt anstellen?»

«Indem ich mein eigenes Raumschiff baue natürlich!», erwiderte Kevin. «Was ich auch getan habe. Nur ist es leider abgestürzt.»

«Du hast das Ding wirklich selbst gebaut?», fragte Ruth.

«Ja. Ich habe drei Jahre dafür gebraucht.»

«BOAH!» Ruth war tief beeindruckt.

«Ich habe jeden Comic gelesen und jeden Film über Aliens geschaut, den ich finden konnte. Aliens benutzen fliegende Untertassen, jedenfalls in den Geschichten. Also habe ich angefangen, eine aus Altmetall zu bauen. Mein Großvater hat einen Schrottplatz, dort gibt es jede Menge Teile, die ich stehlen und zu einem Raumschiff zusammenschweißen konnte. Der Motor stammt von einem alten Traktor.»

«Deshalb konntest du den Traktor reparieren.»

«Ich glaube, ich bin generell ganz gut in solchen Sachen. Aber mein Großvater hat das nie zu schätzen gewusst. Die runde Glaskapsel stammt vom Cockpit eines alten abgestürzten Hubschraubers.»

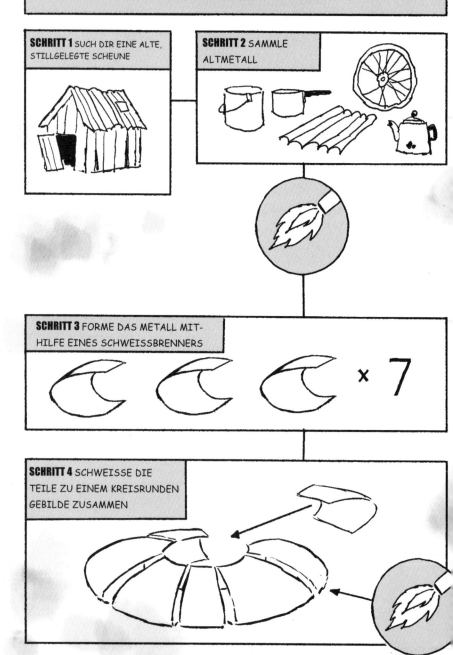

BAUANLEITUNG FÜR EINE FLIEGENDE UNTERTASSE*

* BITTE NICHT ZU HAUSE NACHMACHEN!

SCHRITT 1 SUCH DIR EINE ALTE, STILLGELEGTE SCHEUNE

SCHRITT 2 SAMMLE ALTMETALL

SCHRITT 3 FORME DAS METALL MITHILFE EINES SCHWEISSBRENNERS

× 7

SCHRITT 4 SCHWEISSE DIE TEILE ZU EINEM KREISRUNDEN GEBILDE ZUSAMMEN

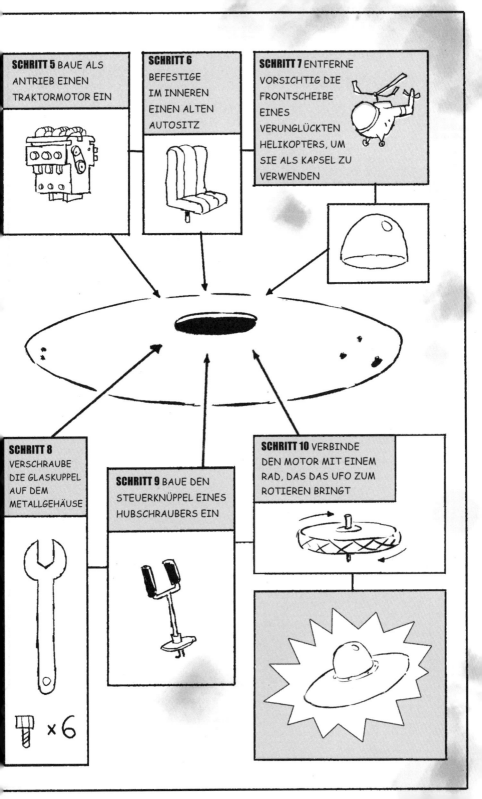

SCHRITT 5 BAUE ALS ANTRIEB EINEN TRAKTORMOTOR EIN

SCHRITT 6 BEFESTIGE IM INNEREN EINEN ALTEN AUTOSITZ

SCHRITT 7 ENTFERNE VORSICHTIG DIE FRONTSCHEIBE EINES VERUNGLÜCKTEN HELIKOPTERS, UM SIE ALS KAPSEL ZU VERWENDEN

SCHRITT 8 VERSCHRAUBE DIE GLASKUPPEL AUF DEM METALLGEHÄUSE

× 6

SCHRITT 9 BAUE DEN STEUERKNÜPPEL EINES HUBSCHRAUBERS EIN

SCHRITT 10 VERBINDE DEN MOTOR MIT EINEM RAD, DAS DAS UFO ZUM ROTIEREN BRINGT

«Aber wie hast du deine fliegende Untertasse in den Himmel befördert?»

«Das war der schwierige Teil», erwiderte Kevin. «Manche Mähdrescher haben breite Gummiriemen. Ich habe zehn davon zusammengebunden und mithilfe von zwei Baumstämmen ein riesiges Katapult gebaut.»

«Das ist genial! **Verrückt,** aber genial!»

STARTANLEITUNG FÜR EINE SELBST GEBAUTE
FLIEGENDE UNTERTASSE*

* BITTE EBENFALLS NICHT ZU HAUSE NACHMACHEN!

x 10

SCHRITT 1
SAMMLE DIE GUMMIRIEMEN ALTER MÄHDRESCHER

SCHRITT 2 NÄHE SIE ZUSAMMEN

SCHRITT 3 SUCHE ZWEI ROBUSTE BÄUME

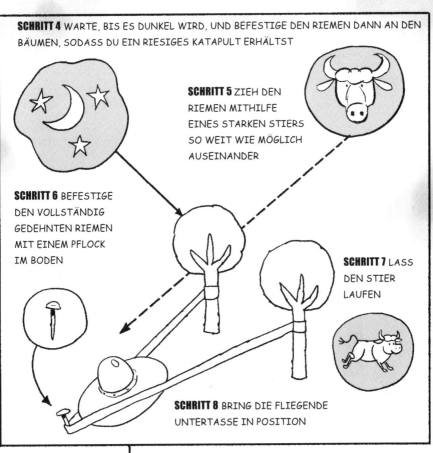

SCHRITT 4 WARTE, BIS ES DUNKEL WIRD, UND BEFESTIGE DEN RIEMEN DANN AN DEN BÄUMEN, SODASS DU EIN RIESIGES KATAPULT ERHÄLTST

SCHRITT 5 ZIEH DEN RIEMEN MITHILFE EINES STARKEN STIERS SO WEIT WIE MÖGLICH AUSEINANDER

SCHRITT 6 BEFESTIGE DEN VOLLSTÄNDIG GEDEHNTEN RIEMEN MIT EINEM PFLOCK IM BODEN

SCHRITT 7 LASS DEN STIER LAUFEN

SCHRITT 8 BRING DIE FLIEGENDE UNTERTASSE IN POSITION

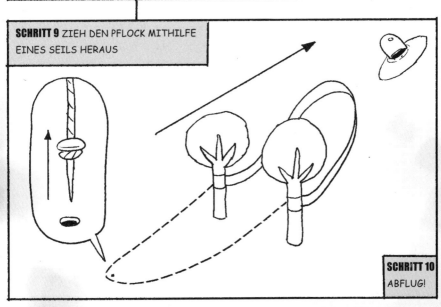

SCHRITT 9 ZIEH DEN PFLOCK MITHILFE EINES SEILS HERAUS

SCHRITT 10 ABFLUG!

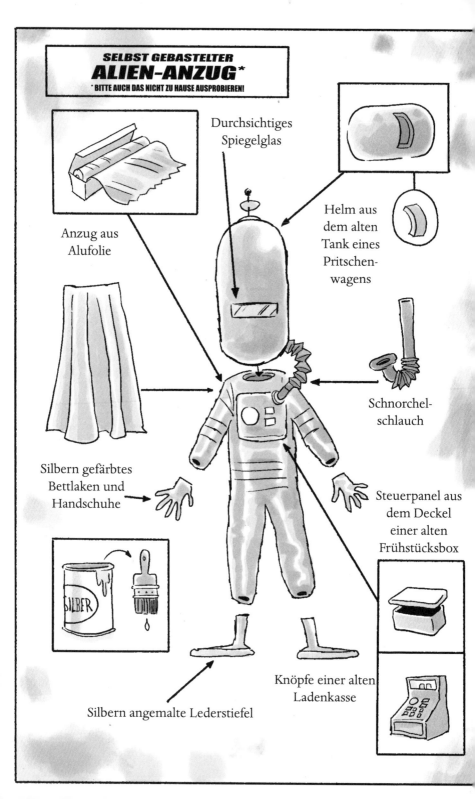

SELBST GEBASTELTER
ALIEN-ANZUG*
* BITTE AUCH DAS NICHT ZU HAUSE AUSPROBIEREN!

Durchsichtiges
Spiegelglas

Helm aus
dem alten
Tank eines
Pritschen-
wagens

Anzug aus
Alufolie

Schnorchel-
schlauch

Silbern gefärbtes
Bettlaken und
Handschuhe

Steuerpanel aus
dem Deckel
einer alten
Frühstücksbox

SILBER

Knöpfe einer alten
Ladenkasse

Silbern angemalte Lederstiefel

«Ich habe mir einen Anzug aus Alufolie gebastelt und einen Helm aus dem alten Benzintank eines Pritschenwagens», fuhr der Junge fort. «Und dann habe ich letzte Nacht gewartet, bis mein Großvater tief und fest schlief. Er hat mich vorher stundenlang angegrölt und ist schließlich betrunken auf dem Sofa eingeschlafen. Ich wusste, dass ich die Gelegenheit beim Schopf ergreifen musste. Ich habe es bei ihm einfach nicht mehr ausgehalten! Also habe ich den Schritt ins Unbekannte gewagt und meine fliegende Untertasse in den Himmel geschossen!»

28. KAPITEL

ABSOLUT GEHEIM

Du hättest dabei ums Leben kommen können!», rief Ruth.

«Ich weiß», erwiderte Kevin. «Aber ich war bereit, das Risiko einzugehen.»

«Das ist mutig.»

«Oder dumm.»

«Du bist alles andere als dumm. Das alles ist dein Werk», sagte Ruth und zeigte auf seinen selbst gebastelten Raumanzug. «Also was ist schiefgelaufen?»

«Der Treibstofftank muss leck gewesen sein», antwortete Kevin, «denn sobald mich das Katapult in den Himmel geschossen hatte und ich den Traktormotor anließ, ging die fliegende Untertasse in Flammen auf!»

Schon bei der Erinnerung daran weiteten sich seine Augen vor Schreck.

«Die fliegende Untertasse ist also direkt wieder auf die Erde gestürzt?», fragte Ruth.

«Ja», sagte Kevin bekümmert. «Ich wäre fast auf das Farmhaus gestürzt, aber ich habe es gerade noch geschafft, darüber hinwegzusausen.»

«Ein Glück.»

«Dann kam die Bruchlandung auf dem Feld.»

«Und dort habe ich dich gefunden», sagte Ruth.

«Darüber bin ich wirklich froh», sagte Kevin mit einem Lächeln. «Sonst wäre ich vielleicht mit den Trümmern in die Luft geflogen.»

Ruth erwiderte sein Lächeln. «Aber was ich nicht verstehe, ist, warum du dich weiter als **Alien** ausgegeben hast», sagte sie.

«Niemand sollte herausfinden, dass ich es bin. Wenn mein Opa dahintergekommen wäre, dass ich seit Jahren Altmetall von seinem Schrottplatz klaue, wäre ich meines Lebens nicht mehr froh geworden.»

«Aber ich hätte ihm doch nichts verraten», erwiderte Ruth.

«Das wusste ich ja nicht. Ich dachte, es ist besser, wenn niemand Bescheid weiß. Ich wollte es absolut geheim halten. Aber dann ist mir die Lüge über den Kopf gewachsen!»

«Das kannst du laut sagen», stimmte Ruth ihm zu.

«Was in aller Welt sollen wir jetzt tun?»

«Keine Ahnung. Ich glaube, ich kriege **Riesen-ärger,** wenn diese Erwachsenen die Wahrheit herausfinden.»

«Ich aber auch.»

«Lass uns einfach abwarten», schlug Kevin vor. «Wir nehmen es, wie es kommt. Vielleicht macht es sogar Spaß.»

Ruth lächelte wieder. «Bis jetzt hat es das jedenfalls. Aber irgendwie ist es auch gefährlich, oder?»

«Ich finde es aber auch spannend.»

«Ich auch!»

«Ewig kommen wir damit jedenfalls nicht durch. Sobald der richtige Moment gekommen ist, sollten wir drei abhauen. **Für immer** von der Bildfläche verschwinden. Weit weg von all diesen furchtbaren Erwachsenen.»

«Klingt nach einem tollen Plan!», erwiderte Ruth.

«WAU!», stimmte Juri zu.

In diesem Moment hörten sie, wie die Tür zum **WILLKOMMEN-AUF-DEM-PLANETEN-ERDE-RAUM** aufging.

Kevins Augen wurden weit vor Panik.

«HILF MIR!», zischte er.

Ruth stülpte ihm hastig den langen Helm wieder über den Kopf und zog ihn auf die Beine.

Kaum hatte er das Gleichgewicht wiedergefunden, lugte das Gesicht von **Major Majors** durch das hundegroße Loch in der Kinoleinwand.

«Dein Hund hat Regierungseigentum beschädigt! Geh mit deinem Köter wieder dahin zurück, wo ihr hergekommen seid!», raunzte er Ruth an.

«Aber …», widersprach sie.

«NEIN!», erklärte Spaceboy mit seiner gruseligsten Alien-Stimme. «DAS MÄDCHEN UND DER HUND BLEIBEN BEI MIR, ODER ICH SCHIESSE MICH AUF DER STELLE ZURÜCK INS ALL!»

Der Major hob seine riesige Hand. «Bitte noch nicht, Spaceboy!», bat er. «Es gibt ein paar Leute, die ich dir gerne vorstellen möchte. Ich muss sofort den **Präsidenten** anrufen!» Dann brüllte er einem seiner Untergebenen einen Befehl zu. «Bringt mir das rote Telefon!»

29. KAPITEL

DAS ROSA TELEFON

Wir können das rote Telefon nicht finden!», kam ein Ruf aus der tiefsten Tiefe der Höhle.

«Was soll das heißen?», wollte der Major wissen.

«Wir haben das rote Telefon noch nie benutzt, deshalb weiß niemand, wo es ist!»

«Aber irgendwo muss es doch sein!»

«Wir haben überall danach gesucht!»

«Dann sucht noch einmal!», befahl der Major.

Es folgte ein kurzes Schweigen, ehe die Stimme antwortete: «Das haben wir gerade gemacht, können es aber immer noch nicht finden. Stattdessen haben wir das rosa Telefon gefunden!»

Major Majors spuckte Gift und Galle. «Ich kann den **Präsidenten** der Vereinigten Staaten doch nicht mit dem rosa Telefon anrufen!»

«Warum nicht?», fragte Ruth. «Er wird nie erfahren, welche Farbe das Telefon hat.»

«Da ist was dran», sagte **Major Majors.** Dann drehte er sich um und brüllte in die Dunkelheit: «Schafft sofort das rosa Telefon her!»

Das rosa Telefon wurde dem Major gereicht.

Ruth, Spaceboy und Juri hörten nur, was der Major sagte, den Rest des Gesprächs konnten sie nur erahnen.

«Hallo, ist da das **WEISSE HAUS?** Hier spricht **Major Majors** von der **STRENG GE-HEIMEN GEHEIM-BASIS.** Geben Sie mir den **Präsidenten.** Das ist ein **CODE X.** Ich wiederhole: **CODE X.** Ah! Guten Morgen, Mr. President. Ich rufe Sie über das rote, nun ja, rötliche Telefon an. Es tut mir leid, Sie zu stören, Mr. President, aber ich habe wichtige Neuigkeiten. Sehr wicht…! Natürlich werde ich mich kurzfassen, Mr. President. Entschuldigen Sie, gibt es ein Problem mit der Verbindung? Ich höre da ein *lautes* Geräusch! Bitte entschuldigen Sie, Mr. President. Ich hatte ja keine Ahnung, dass

Sie gerade präsidiales **Pipi** machen.
Nein, jetzt ist es besser. Oh! Noch
etwas mehr? Machen Sie nur, Mr.
President. Wäre das alles? Ausgezeichnet. Oje! Jetzt ist da ein
wirklich lautes Geräusch! War das
die Toilettenspülung, Mr. President?
Ja, natürlich! Sie haben recht – man
sollte das Spülen wichtig nehmen.
Nein, ich kann mir nicht vorstellen, dass
es der First Lady gefallen würde, wenn Sie es
vergessen, Mr. President. Lassen Sie mich gleich zur
Sache kommen. Wir haben hier in der **STRENG GE-
HEIMEN GEHEIMBASIS** Kontakt aufgenommen!
Mit einer außerirdischen Lebensform! Nein, Mr. President, es ist definitiv nicht einfach nur jemand aus
New York. Es ist ein echtes **Alien!** Wie es aussieht?»

Major Majors blickte zu Spaceboy hinüber, um
sein Gedächtnis aufzufrischen.

«Nicht sehr groß. Trägt eine Menge Silber. Nennt
sich selbst ‹Spaceboy›. Ob es ins **WEISSE HAUS**
kommen möchte? Nun, das kann ich es gleich fragen,
Mr. President!»

Ruth und Spaceboy wechselten einen besorgten
Blick. Das ging nun wirklich viel zu weit.

«ICH HABE ANDERE PLÄNE», sagte Spaceboy.

«Das würde es sehr gern!», log **Major Majors.**

«WAS?», stammelte Ruth.

«Wir landen innerhalb der nächsten Stunde auf dem Rasen vor dem **WEISSEN HAUS**, Mr. President!» Mit diesen Worten legte **Major Majors** den Hörer auf.

DING!

«Lassen Sie das rosa Telefon rot anstreichen!», befahl der Major. «Ich kann doch nicht mit einem rosa Telefon telefonieren! Das gibt Gerede!»

«Sehr wohl, Sir!», sagte eine Stimme.

«Das war der **Präsident!**», erklärte **Major Majors.**

«Ja, das habe ich mir gedacht», erwiderte Ruth.

«Bereiten Sie den **MEGACHOPPER** vor! Wir brechen sofort auf!», befahl der Major barsch.

Spaceboys Helm drehte sich langsam zu Ruth um.

Die ganze Sache geriet völlig außer Kontrolle!

30. KAPITEL

KATASTROPHAL
IN DER KLEMME

Nur wenig später saßen Ruth, Juri und Spaceboy wieder in der Einschienenbahn. Nachdem sie weitere Meilen durch das Höhlennetz gefahren waren, erreichten sie eine Tür mit der Aufschrift:

MEGACHOPPER

Die **STRENG GEHEIME GEHEIMBASIS** befand sich tief unter der Erde. Wie um alles in der Welt sollte hier unten ein Hubschrauber abheben? Trotzdem stand dort ein Helikopter auf einem Helikopterlandeplatz. Er war graumetallic lackiert, hatte kugelsichere getönte Scheiben und war dermaßen aufgerüstet, dass er aussah wie ein fliegender Panzer. Allerdings prangte seitlich auf dem **Megachopper** die Aufschrift **STRENG GEHEIME GEHEIMBASIS,** was irgendwie keinen Sinn ergab. Ruth blickte über die Rotoren des Megachoppers zur felsigen Höhlendecke hinauf.

Der Motor erwachte dröhnend zum Leben …

RÖMM!

… und die Rotorblätter begannen sich zu drehen.

SCHWIRR!

Ruth, Spaceboy und Juri wurden hinten in den Hubschrauber gepfercht. **Major Majors** ist PLEM-PLEM!, dachte Ruth. *Wir werden alle sterben!*

Die Rotorblätter drehten sich immer schneller und schneller, bis Ruth spürte, wie die gepanzerte Flugmaschine vom Boden abhob. Ruth schloss die Augen und drückte Juri an sich, denn sie befürchtete das Schlimmste. Als sie jedoch in Sekundenschnelle immer höher aufstiegen, machte sie die Augen wieder auf. Staunend stellte sie fest, dass die felsige Höhlendecke zur Seite geglitten war. Während der **Megachopper** nun draußen in der Luft schwebte, begann sich der Untergrund wieder zu schließen. Genau wie die Radarschüssel war das ganze Ding von Menschen gemacht, fügte sich aber perfekt in die natürliche Umgebung ein.

Eines musste man den Leuten von der **STRENG GEHEIMEN GEHEIMBASIS** lassen. Dafür, dass sie noch nie Kontakt mit echten **Aliens** aufgenommen hatten, hatten sie mächtig viel Schotter dafür ausgegeben.

Als Nächstes drehte sich der **Megachopper,** bis

seine metallicgraue Nase zur Sonne zeigte. Er verharrte einen Moment in der Luft und sauste dann in kerzengerader Linie davon. Dieser kerzengeraden Linie folgte er während der gesamten Reise.

Die Sitzreihen des **Megachoppers** standen einander gegenüber, was ziemlich unangenehm war. Auf der einen Seite saßen Ruth, Juri und Spaceboy, auf der anderen *Major Majors* in seiner Militäruniform und mit der Armeekappe. Er hatte einen solchen Teppich aus Orden auf der Brust, dass seine Jacke darunter kaum zu sehen war. Und *Major Majors* hatte offenbar beschlossen, dass er die hochnäsige kleine Miss Ruth nicht ausstehen konnte. «Du stiehlst mir nicht länger die Show, Miss», raunzte er.

«Ich weiß nicht, was Sie meinen», protestierte Ruth.

«Ich halte es für das Beste, wenn wir dem **Präsidenten** nicht sagen, dass du als Erste mit dem **Alien** Kontakt aufgenommen hast.»

«Warum nicht?»

«Weil ich gerne noch einen Orden hätte! Ich habe genau den richtigen Platz dafür», sagte er und zeigte auf eine ameisengroße Stelle auf seiner Uniformjacke. «Meine Mutter wäre so stolz!»

«Tut mir leid, da müssen Sie schon Juri fragen», erwiderte Ruth. «Er hat Spaceboy zuerst getroffen!»

Major Majors grummelte und schmollte die gesamte restliche Reise.

Spaceboy hielt sich lieber heraus und saß die ganze Zeit mit gesenktem Kopf da. Er musste aufpassen, dass sein Helm nicht wieder herunterrutschte, sonst säßen sie alle KATASTROPHAL IN DER KLEMME.

Hier ist eine praktische Übersicht von Gründen, warum man in eine Klemme geraten kann, zum Beispiel wenn man …

… seinen Kohl nicht aufisst

… am Geburtstag seiner Geschwister die Kerzen auf dem Geburtstagskuchen ausbläst

… seine Hausaufgaben vergisst

… am Frühstückstisch rülpst

… im Unterricht einschläft

… in den Swimmingpool pinkelt

… alle Kekse in der Dose auffuttert

… der Schulleitung gegenüber frech ist

… furzt und Oma die Schuld gibt

… unanständige Wörter auf eine Mauer kritzelt

… sich als **Alien** aus einer anderen Galaxie ausgibt

Schon bald veränderten sich die Landschaft und auch die Farben unten auf der Erde. Das Rot der Wüstenfelsen wurde abgelöst vom Grün der Gräser und Bäume. Der kleine Juri döste ein.

ZZZZ! ZZZZ! ZZZZ!

Ruth und Spaceboy wurden große Tüten mit Kartoffelchips angeboten. Da Spaceboy nicht riskieren konnte, seinen Helm abzunehmen, aß Ruth gierig …

MAMPF!

… auch seine Tüte leer.

MAMPF!

Dann dösten auch die beiden einen Moment lang ein. Spaceboys Kopf sank auf die Schulter seiner Freundin, ehe diese die Augen aufschlug und in der Ferne die grauen Umrisse einer großen Stadt auftauchen sah. Hochhäuser ragten wie Raketen in den Himmel.

Als die unverkennbare Kontur des **WEISSEN HAUSES** – eines der berühmtesten Gebäude der Welt – in Sichtweite kam, begann Spaceboys angeschlagenes Knie zu zittern. Ruth legte beruhigend die Hand auf seine und drückte sie, so fest sie nur konnte. Der Major wurde sofort misstrauisch.

«Was hat das **Alien** denn jetzt schon wieder?», bellte er über das Dröhnen des **Megachoppers** hinweg.

«Mit Spaceboy ist alles in Ordnung», log Ruth.

«Ich muss mal spacepinkeln», fügte Spaceboy hinzu.

Ruth musste sich auf die Zunge beißen, um nicht laut loszulachen. Sie war sich nicht sicher, inwiefern sich Spacepinkeln von normalem Pinkeln unterschied, aber es hörte sich sehr lustig an.

«Pinkelt ihr **Aliens** denn anders als wir Menschen?», erkundigte sich der Major.

Es gab eine kurze Pause, ehe Spaceboy antwortete: «**Alien-Pipi** fließt nach oben statt nach unten.»

«Faszinierend!», erwiderte der Major, dessen Augen bei dem Gedanken zu funkeln begannen. «Vielleicht findet sich eine militärische Verwendung für Pipi, das nach oben fließt. Man könnte den Feind damit überraschen!»

31. KAPITEL

DER MÄCHTIGSTE MANN DER WELT

Während das Gespräch übers Spacepinkeln weiterging, landete der **Megachopper** auf dem Rasen des **WEISSEN HAUSES**. Sie waren kurz davor, den mächtigsten Mann der Welt zu treffen, den **Präsidenten** der Vereinigten Staaten von Amerika. Durch die getönte Scheibe des **Megachoppers** sahen sie die aufgereihten Wachen des **Präsidenten** strammstehen. Als die Tür des Hubschraubers aufschwang, salutierten sie.

Es bestand kein Zweifel daran, dass Spaceboy und seine beiden Begleiter Ehrengäste waren.

Das ließ Ruths Herz allerdings nur noch heftiger klopfen. Sie steckte jetzt ebenso tief drin wie Spaceboy. Es war ein unangenehmes Gefühl, in diese Lüge verstrickt zu sein. Wie lange konnte dieser Junge aus ihrer Nachbarstadt seine **Alien**-Maskerade noch aufrechterhalten?

Während der Major die drei Freunde über den Rasen des **WEISSEN HAUSES** führte, kamen die Rotorblätter des **Megachoppers** schließlich zum Stillstand.

«MR. PRESIDENT!», rief *Major Majors* aufgeregt.

Ruth hörte irgendwo das dumpfe Klacken eines Balls, der gerade abgeschlagen wurde.

KLOCK!

Als sie aufschaute, sah sie einen kleinen weißen Punkt durch die Luft fliegen.

WUSCH!

Sie konnte gerade noch rechtzeitig den Kopf einziehen, ehe er knapp an ihr vorbeizischte.

SCHWIRR!

Major Majors hatte weniger Glück.

Der Golfball traf ihn am Kopf …

BONG!

… und setzte ihn außer Gefecht.

PLUMPS!

Er fiel auf seine Orden.

KLIRR! KLIMPER! KLONG!

Major Majors lag nun mit dem Gesicht nach unten auf dem Rasen des **WEISSEN HAUSES**, und keiner wusste, was zu tun war.

Zum Glück tauchte da die vertraute Gestalt des **Präsidenten** auf. Er trug ein schrilles kariertes Golfer-Outfit, das so schlecht zusammenpasste, dass man brüllende Kopfschmerzen bekam, wenn man zu lange hinsah. «Hallöchen!», rief er über den Rasen, während er mit einer Hand seine Haare festhielt, die bei näherer Betrachtung verdächtig nach einer Perücke aussahen. Einer rothaarigen noch dazu, obwohl er dunkelbraun gebrannt war. Genau wie seine Kleidung passte das nicht zusammen. Der **Präsident** war ein kleiner, runder Mann mit stämmigen Armen und Beinen. Es wäre ein Wunder, wenn er sich mit diesen Armen tatsächlich den Popo selbst abwischen könnte.

Hinter dem **Präsidenten** ragte ein Geheimdienstler in dunklem Anzug und noch dunklerer Brille auf, der den Golfjungen spielte und eine riesige Tasche mit Golfschlägern schleppte.

«Ihr habt nicht zufällig einen Golfball gesehen, oder?», fragte der **Präsident**. «Ich bin zwar so eine Art Golf-Champion, aber irgendwie habe ich wohl meinen Ball verloren!»

«Hier liegt er, Mr. President», antwortete Ruth und holte den harten, weißen Ball aus dem Gras.

«Vielen Dank», erwiderte der **Präsident**, als er den Ball entgegennahm.

Dann sah er zu **Major Majors** hinab, der immer noch auf dem Rasen lag. Der große Militärführer mit all seinen Orden war nach wie vor bewusstlos.

«Was ist mit dem Major passiert?», fragte der **Präsident**.

Ruth schaute zu den Wachen hinüber. Alle schüttelten den Kopf, als wollten sie sagen: «Sag es ihm bloß nicht.»

«Ich sage es nicht gern, Mr. President, aber ihm ist ein Golfball an den Kopf geflogen.»

«Das bezweifle ich, junge Dame. Ich bin ein erstklassiger Golfer, die Nummer eins in der Welt!»

«Nun», überlegte Ruth, «dann ist der Kopf des Majors wohl gegen Ihren Ball geflogen.»

«Das kann schon eher sein», stimmte der **Präsident** ihr zu. Er begutachtete seinen Golfball. «Zum Glück hat mein Ball nichts abbekommen.» Er polierte ihn an seinem Brustkorb und steckte ihn in die Tasche.

Dann musterte er die drei Gäste, die auf dem Rasen vor dem **WEISSEN HAUS** standen.

Das Mädchen.

Den Hund.

Und die kleine Figur mit einem silbernen Anzug, Umhang und Helm.

Nach einer kurzen Pause fragte er: «Und wer von euch kommt jetzt aus einer anderen Galaxie?»

32. KAPITEL

EIN HISTORISCHES EREIGNIS

Ruth blieb vor Überraschung der Mund offen stehen, sodass sie aussah wie ein Fisch. Vielleicht würden sie diesen Narren leichter täuschen können als gedacht! Der **Präsident** mochte der mächtigste Mann der Welt sein, aber er war offensichtlich so dumm wie **Straußen**kacke.

«DAS BIN ICH!», erklärte Spaceboy mit seiner gespenstischsten **Alien**-Stimme. «ICH BIN ES, DER EUCH AUS EINER ANDEREN GALAXIE BESUCHT!»

«Wer hat das gesagt?», fragte der **Präsident** ziemlich nervös, weil er niemanden sah, der die Lippen bewegte.

«Er», sagte Ruth und deutete auf ihren Freund.

«ICH! SPACEBOY!», ergänzte Spaceboy und sorgte mit einem kleinen Schwung seines Umhangs für ein wenig intergalaktische Dramatik.

«Ach ja. Natürlich. Das habe ich an der Stimme erkannt!», erwiderte der **Präsident**. «Wirklich sehr **außerirden**. Kommt mit!»

Die drei folgten dem Mann in das weltberühmte **WEISSE HAUS**, wobei sie sich ständig unter dem Ende seines Golfschlägers wegducken mussten, der auf seiner Schulter hin- und herschwang. *WUSCH! WUSCH!*

Das Innere des **WEISSEN HAUSES** war prachtvoller als alles, was Ruth jemals in ihrem Leben gesehen hatte. Es war wie ein königlicher Palast, mit tiefroten Teppichen, antiken Möbeln und Ölgemälden an den Wänden. Eine elegante Dame in einem bodenlangen Ballkleid kam um die Ecke getänzelt. Ihr Haar war in Form einer Bischofsmütze hochtoupiert und festgesprüht. Es überragte sogar Spaceboys Helm.

«Darling! Zieh sofort diese Golfklamotten aus und mach dich fein! Du kommst noch zu spät zum Bankett!», herrschte sie den **Präsidenten** an.

«Tut mir leid, meine Liebe. Das ist die First Lady, die erste Frau des Landes», stellte der **Präsident** sie vor.

«DIE ERSTE FRAU DES LANDES, DIE JEMALS GELEBT HAT?», fragte Spaceboy, sehr zu Ruths Belustigung.

«HA! HA!»

«NEIN!», fauchte die First Lady. «Ich bin die First Lady, die Frau des **Präsidenten** der Vereinigten Staaten von Amerika! Und wer sind Sie, wenn ich fragen darf?»

«Ach, Liebe, achte nicht auf ihn. Er kommt aus dem Weltraum.»

Die First Lady musterte Spaceboy von oben bis unten. «Na, ich kann nur hoffen, dass er dorthin wieder zurückkehrt! Und zwar bald!» Sie wandte sich an ihren Mann. «Jetzt zieh deinen Smoking an und kämm dir um Himmels willen die Perücke – die Haare, meine ich!»

«Das mache ich, mein Engel», erwiderte der **Präsident** und strich sein rotes Toupet glatt. «Aber zuerst muss ich mich in einer Fernsehansprache an die Welt wenden!»

«Wozu denn das?», fragte die First Lady naserümpfend.

«Es ist das erste Mal, dass wir mit einem **Alien** Kontakt aufgenommen haben!»

«Na und?»

«Das ist ein bedeutender Moment in der Geschichte der Menschheit!»

«Dann beeil dich, mein Guter! Sonst ist unsere Ehe Geschichte!»

«Ja, Liebes!»

Sie warf der Gruppe noch einen letzten vernichtenden Blick zu und rauschte dann davon.

«Ihr habt großes Glück», sagte der **Präsident**. «Heute habt ihr sie bei guter Laune erwischt.»

«Dann will ich sie lieber nicht bei schlechter Laune erleben», scherzte Ruth.

«Ja, das ist gar nicht schön», gestand der **Präsident**. «Meine Güte! Wir sollten jetzt für die Fernsehansprache im **OVAL OFFICE** Aufstellung nehmen. Wartet nur, wenn die Russen das sehen! Ha! Ha! Der erste Mensch im Weltraum! PAH!»

Das **OVAL OFFICE** war der offizielle Arbeitsplatz des **Präsidenten**. Der Raum war mit einem üppigen blauen Teppich und einem imposanten hölzernen Schreibtisch ausgestattet, hinter dem zwei große Fahnen aufragten. In der Mitte stand eine große Fernsehkamera auf einem Stativ, an der sich mehrere Techniker zu schaffen machten. Als der **Präsident** eintrat, verneigten sich alle und murmelten wie aus einem Mund: «Mr. President.»

«Das **OVAL OFFICE**! Ist ja IRRE!», rief Ruth. Sie setzte Juri auf den Teppich. Der kleine Hund rieb sich daran und gab dabei ein wohliges Grunzen von sich.

«JOU!»

«Das muss ich auch mal versuchen», sagte der **Präsident** neidisch. «Also. In fünf Minuten gehen wir live in die ganze Welt. Und ich unterhalte mich mit einem echten **Alien**, dem aus dem Weltraum da! Dadurch wirke ich bestimmt wahnsinnig …»

Er suchte nach dem richtigen Wort.

«Unbedeutend?», schlug Ruth keck vor.

«NEIN!», fauchte der **Präsident** wütend. «Das Gegenteil von unbedeutend! Wie sagt man da?»

Ruth begann sich zu fragen, wie dieser Mann jemals zum Anführer der freien Welt geworden war.

«Bedeutend?», schlug sie vor.

«Das ist es! Bedeutend! Wichtig! Und, was am wichtigsten ist, wiederwählbar!»

Ruth verdrehte seufzend die Augen. Darum ging es ihm also! Die Erwachsenen waren wirklich alle gleich. Immer nur auf sich selbst bedacht.

Ein Butler kam mit Jackett und Krawatte hereingeeilt und half dem **Präsidenten** beim Umziehen, während dieser sich ein paar Notizen ansah, die man ihm gerade gereicht hatte. Mit fragender Miene starrte

er eine Weile auf das Blatt, bevor der Butler es richtig herumdrehte.

Dieser Mann war wirklich ein **SCHWACHKOPF.**

Jemand stellte einen zusätzlichen Stuhl neben den

Schreibtisch, und Spaceboy wurde mit einem Winken aufgefordert, sich zu setzen.

Dann begann ein Techniker von zehn herunter-zuzählen. Ruth und Juri standen hinter einem Fernsehmonitor, sodass sie sehen konnten, was die Kamera aufzeichnete und was die Leute zu Hause sahen.

Gleich würde die ganze Welt Spaceboy kennenlernen!

«Ich hoffe wirklich, dass er die Welt täuschen kann», flüsterte Ruth Juri zu. «Sonst sind wir erledigt!»

33. KAPITEL

SEI KEIN DÖDEL!

Ich grüße Sie, Bewohner des Planeten Erde», begann der **Präsident** langsam und ernst. «Hier spricht der **Präsident** der Vereinigten Staaten von Amerika live aus dem **WITZIGEN HAUS.**»

Ruth und Juri schüttelten den Kopf. Dieser Mann brachte nicht einen Satz fehlerfrei heraus.

«Heute ist der historischste Tag in der Historie der historischen Tage, und seien wir ehrlich, Leute, es gab schon viele historische Tage in unserer langen und historischen ... Geschichte. Heute hat die Menschheit, zu der auch ich gehöre, falls Sie sich das gefragt haben sollten – ja, das ist mein eigenes Haar –, zum ersten Mal Kontakt mit einem Wesen von einem anderen Stern aufgenommen. Einem **Alien.** Einer intelligenten Lebensform, na ja, einer einigermaßen intelligenten Lebensform, und sie sitzt jetzt direkt neben mir.»

Ruth und Juri schauten auf den Monitor, während

die Kamera den Aufnahmewinkel vergrößerte und man Spaceboy neben dem **Präsidenten** sitzen sah.

Der **Präsident** wandte sich ihm zu. «Spaceboy, herzlich willkommen auf meinem, ich meine unserem Planeten.»

Er reichte Spaceboy zur Begrüßung die Hand, und dieser drückte so fest zu, dass der **Präsident** zusammenzuckte. «AU! Dieses kleine **Alien** hat wirklich einen festen Händedruck – das muss man ihm lassen! Und so wird Geschichte geschrieben! Also, wir haben gerade Geschichte geschrieben! Und es war und ist eine wirklich geschichtsträchtige Geschichte! Der allererste Händedruck zwischen einem Menschen, das bin ich, und einem **Alien,** also dem da.»

Im nächsten Moment tat Spaceboy etwas wirklich Ungezogenes! Er ließ die Hand des **Präsidenten** nicht mehr los.

«Also, ich, äh …», begann der **Präsident**, der verzweifelt versuchte, seine Hand freizubekommen. Er schaffte es erst, als er den Fuß gegen den Schreibtisch stemmte und seine Hand wegriss. «HA!», rief er aus, als er sich an seinem

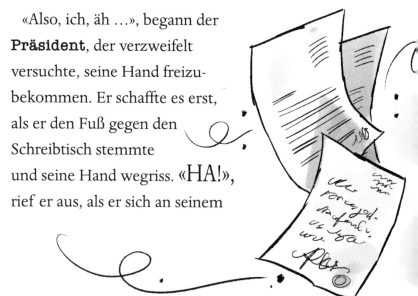

antiken Schreibtisch abstieß, der nach vorn umkippte.

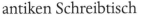

WOMM!

Der Tisch knallte auf den Teppich, und alles flog umher.

RUMMS!

Es war, als hätte ein Zauberer ein Dutzend weiße Tauben auf einmal aus dem Hut gezogen, denn plötzlich flatterten alle möglichen Papiere durch die Luft.

«Ups», sagte der **Präsident**. «Das haben Sie aber nicht aufgenommen, oder?», fragte er.

Der Kameramann schwenkte die Kamera einmal hoch und runter, um zu nicken.

«Mist! Aber wen interessiert schon ein doofer alter Schreibtisch, wenn man ein echtes **Alien** im **WEISSEN HAUS** hat!»

Ruth und Juri konnten sich das Lachen kaum verkneifen, vor allem als Spaceboy Anstalten machte, dem **Präsidenten** abermals die Hand zu schütteln.

Er streckte den Arm aus, um sie zu ergreifen, aber diesmal riss der **Präsident** die Hand weg und schlug sich dabei versehentlich ins Gesicht.

PATSCH!

Durch den Schlag verschob sich die Perücke auf seinem Kopf.

Mit einem dünnen Lächeln wandte sich der **Präsident** ab, um die Perücke zurechtzurücken.

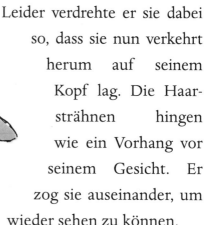

Leider verdrehte er sie dabei so, dass sie nun verkehrt herum auf seinem Kopf lag. Die Haarsträhnen hingen wie ein Vorhang vor seinem Gesicht. Er zog sie auseinander, um wieder sehen zu können.

«Ah, da bist du ja!», rief er aus. «Spaceboy, ich habe ein paar Fragen an dich, die die Menschen auf dieser Welt sicher interessieren. Als Erstes würde ich gern wissen, ob du in Frieden gekommen bist.»

«Nein, ich bin in einer fliegenden Untertasse gekommen», antwortete Spaceboy. Er sprach dabei mit seiner normalen, hohen Stimme, ehe er sich korrigierte und sie wieder **DRÖHNEN** ließ. «ICH

BIN IN EINER FLIEGENDEN UNTER-TASSE GEKOMMEN!, habe ich gesagt.»

«Ja! Das wusste ich schon!», schnaubte der **Präsident**. «Ich meinte, ob du friedlich auf diesen Planeten gekommen bist?»

«Nein, es war sogar ziemlich brutal. Meine fliegende Untertasse hat eine Bruchlandung gemacht. Und es gab einen mächtigen Knall!»

Der **Präsident** räusperte sich nervös. «Aber du wirst den Planeten Erde doch nicht in die Luft jagen?»

Spaceboy schwieg lange genug, dass dem **Präsidenten** Schweißperlen auf die Stirn traten.

Schließlich antwortete er: «Ich würde ja gern, aber mir fehlt einfach die Zeit.»

«Gott sei Dank!», erwiderte der **Präsident** und fuhr sich mit seinem Taschentuch über die Stirn. «Also, ich heiße Mr. President. Und wir nennen dich Spaceboy, aber wie lautet dein **Alien**-Name? Wie nennt man dich auf deinem Heimatplaneten?»

Spaceboy antwortete nicht mit einem Wort, sondern mit einem Geräusch. Er streckte die Zunge heraus und prustete:

«BBBRRRRRRRRRRRRRRRRRR.»

Es war ein langes, tiefes Geräusch, und einen Moment lang schien es, als würde es niemals aufhören.

«Dein Name ist ...» Der **Präsident** schürzte unbeholfen die Lippen, streckte die Zunge heraus und prustete:

«BBBRRRRRRRRRRR.»

«NEIN!», fauchte Spaceboy.

«BBBRRRRRRRRRRRRRRRRRRRR.»

«Genau, und wie heißt der Planet, von dem du kommst?»

«MOONYHINGUNATHENBERGMONTWITTELWUUWUUWUU.»

Darüber musste Ruth so sehr lachen, dass sie sich die Nase zuhielt, damit sie niemand schnauben hörte.

«SCHNAUB! SCHNAUB! SCHNAUB!»

Der Name des Planeten war natürlich unaussprechlich, deshalb versuchte der **Präsident** es gar nicht erst.

«Das ist einer meiner absoluten Lieblingsplaneten», log er. «Nun, es gibt eine Frage, über die sich die Menschheit oft Gedanken gemacht hat. Es ist eine große Frage. Und es wäre eine Ehre für uns, wenn du sie heute beantworten würdest. Also ...

Gibt es Leben auf anderen Planeten?»

«Tja, offensichtlich! Sonst wäre ich ja nicht hier!

Logisch, oder?», erwiderte Spaceboy. Er ahmte Ruth nach und klatschte sich an den Helm, als wäre er seine Stirn. Einen Moment lang sah es so aus, als würde ihm der Helm vom Kopf rutschen, er konnte ihn gerade noch rechtzeitig festhalten.

«PUH!», murmelte Ruth.

«J-j-ja, natürlich», stotterte der **Präsident,** der ein weiteres Mal von diesem kleinen Jungen in die Schranken gewiesen worden war. «Haben diese **außer- irdischen** Lebens- formen denn schon von mir gehört? Dem mäch- tigsten Mann auf der Erde?»

«NÖ!»

«Keiner von ihnen?»

«Nö. Kein Einziger. Aber die Menschen sind natür- lich auch nicht die klügste Lebensform auf der Erde.»

Der **Präsident** schüttelte den Kopf. «Ich glaube, du wirst schon noch merken, dass wir Menschen die klügstesten sind!»

«MH-MH!», antwortete Spaceboy und schüttelte ebenfalls den Kopf.

«Und wer ist es dann?», fragte der **Präsident.**

«Wir **Aliens** vom Planeten MOONYHINGU-NATHENBERGMONTWITTELwuuwUU-wUU haben euren Planeten schon Jahrhunderte vor meinem Besuch beobachtet. Unsere Studien haben ergeben, dass die intelligentesten Wesen hier ... die Hamster sind.»

«HAMSTER?», stammelte der **Präsident.**

«Ja! Hamster sind mit Abstand die intelligenteste Spezies.»

«Und die Menschen stehen an zweiter Stelle?»

«Die Menschen schaffen es nicht mal in die Top Ten!»

«WAS?!»

«Erst kommen die Hamster, dann Affen, Ziegen, Bären, Pinguine, Nilpferde, Strauße, Würmer, Wüstenrennmäuse und Käfer und dann erst die Menschen.»

«Na schön! Danke, dass du uns aufgeklärt hast», fauchte der **Präsident**. «Das sind jedenfalls gute Neuigkeiten für alle Hamster, die uns zuschauen.»

«Hamster schauen nicht fern.»

«Warum nicht?», fragte der **Präsident**.

«WEIL SIE DORT UNUNTERBROCHEN ZU SEHEN SIND!»

Im **OVAL OFFICE** war Glucksen zu hören. Wie die meisten Witze war auch dieser ernst gemeint.

«Okay, Klugscheißer! Wenn sie nicht fernsehen, was machen Hamster dann den ganzen Tag?»

«Sie knabbern Nüsse und planen die Weltherrschaft.»

«Die Weltherrschaft?», stotterte der **Präsident**. «Wann werden die Hamster die Weltherrschaft denn übernehmen?»

«Es tut mir sehr leid, aber das ist ein Geheimnis

zwischen mir und den Hamstern», antwortete Spaceboy.

«Oh.» Der **Präsident** war einen Moment lang sprachlos. Die weiß behandschuhte Hand des Butlers hielt ihm ein Stück Papier unter die Nase. Der in Panik geratene **Präsident** las es. «Oh! Das ist eine gute Frage, die mir gerade eingefallen ist und die ich bestimmt nicht nur abgelesen habe. Es ist wieder eine Frage, über die wir Menschen seit Anbeginn der Zeit nachsinnen. Was ist der Sinn des Lebens?»

Stille senkte sich über das **OVAL OFFICE**. Es war so still, dass man den Furz einer Ameise hätte hören können.

«SEI KEIN **DÖDEL**.»

Der **Präsident** drehte sich um und wandte sich an die Kamera.

«Da habt ihr es, Leute. Der Sinn des Lebens ist … kein **DÖDEL** zu sein!»

Ruth und Juri wechselten einen schelmischen Blick. Der mächtigste Mann der Welt war auf ihren Trick reingefallen. Und zwar RICHTIG!

34. KAPITEL

TOHUWABOHU

Im **OVAL OFFICE** herrschte helle Aufregung. Die ganze Welt hatte die Fernsehansprache des **Präsidenten** live verfolgt. Auf den Straßen drängten sich die Menschen um die Schaufenster der Elektrogeschäfte, in denen Fernseher standen, die die Ansprache übertrugen. Alle wollten einen Blick auf diesen Besucher aus dem Weltall erhaschen. In Wirklichkeit stammte er zwar aus Ruths Nachbarstadt, aber das wusste außer ihr natürlich niemand. Bis auf Juri. Aber keiner von beiden hatte vor, das Geheimnis zu verraten. Es machte einfach **zu viel Spaß,** die ganze Welt an der Nase herumzuführen. Die Frage war nur, wie lange sie diese Maskerade noch aufrechterhalten konnten.

Innerhalb von Sekunden begannen im **WEISSEN HAUS** sämtliche Telefone zu klingeln.

KLINGEL-LINGEL-LING!

Der Lärm war ohrenbetäubend.

KLINGEL-LINGEL-LING!

«JAUUU!», jaulte Juri.

Ruth hielt ihm die Ohren zu.

KLINGEL-LINGEL-LING!

Im Gegenzug hielt Spaceboy mit seinen behandschuhten Händen Ruth die Ohren zu.

Die Leute begannen zu rufen.

«Mr. President, es ist **Ihre Majestät die Königin!**»

«Mr. President, es ist **Seine Heiligkeit der Papst!**»

«Mr. President, es ist der **chinesische Staatspräsident!**»

«Mr. President, es ist der **russische Premierminister!**»

«Mr. President, es ist **Elvis!**»

Das Gesicht des **Präsidenten** leuchtete auf vor Freude.

«ELVIS? ICH LIEBE ELVIS! Was hat er gewollt?», schrie er über das Tohuwabohu hinweg.

KLINGEL-LINGEL-LING!

«Sie wollen alle Spaceboy treffen, Mr. President!», riefen die Leute zurück.

Ruth strahlte. Spaceboy war im Handumdrehen zu einem SUPERSTAR geworden. Berühmter als alle anderen, die jemals einen Fuß auf die Erde gesetzt hatten! Ruth war sicher, dass sie in kürzester Zeit steinreich werden würden, reicher, als sie es sich je hätten träumen lassen. Vor ihrem geistigen Auge sah sie schon alle möglichen Spaceboy-Fanartikel!

Bowlingkugeln!

Kostüme!

Brotdosen!

Kuscheltiere!

Eislutscher!

Schokoladentafeln!

Wackelpuddingformen!

Anstecker!

Actionfiguren!

Bleistift-Sets!

Sticker-Sets!

Unterhosen!

Seife mit Band!

Helm-Eierbecher!

Schulranzen!

Hausschuhe!

Brettspiele!

Schaumbad!

Kopfkissenbezüge!

Sogar ein Kauspielzeug für Juri!

Der **Präsident** begann seinen Golfschläger im Takt der klingelnden Telefone zu schwingen.

KLINGEL-LINGEL-LING!

Er hielt mit einer Hand seine Perücke fest und sprang auf seinen Stuhl. Von dort kletterte er auf den Schreibtisch, den der Butler wieder aufgerichtet hatte, und schwang seinen Golfschläger.

WUSCH!

«Tja, sagt ihnen, dass das nicht geht!»

«Aber Mr. President!», rief es im Chor.

«Spaceboy gehört mir! Mir allein!»

Seine Angestellten starrten ihn an, als wäre er plötzlich *PLEMPLEM* geworden, dabei war er schon immer *PLEMPLEM.*

«MIR! MIR! MIR!», übertönte er das Tohuwabohu.

Dachte er jedenfalls.

Denn in diesem Moment wurden die Türen zum **OVAL OFFICE** aufgestoßen, dass sie gegen die Wand knallten.

RUMMS! RUMMS!

Plötzlich erstarrten alle mitten in dem, was sie gerade taten.

Der **Präsident** hörte auf, den Golfschläger zu schwingen, und sah dort oben auf seinem Schreibtisch nun mehr als nur ein bisschen merkwürdig aus.

Ein **FURCHTERREGENDES** Etwas rollte ins Zimmer.

Auf den ersten Blick sah es aus wie ein Roboter.

Es war ein mit Rädern versehener Metallkasten, an dem so etwas wie Arme befestigt waren, vier insgesamt. Oben auf dem Kasten thronte ein umgestülptes Glasgefäß.

Doch das Schockierendste von allem war der Inhalt des Glases.

Auf den ersten Blick sah es aus wie ein riesiges Ei. In

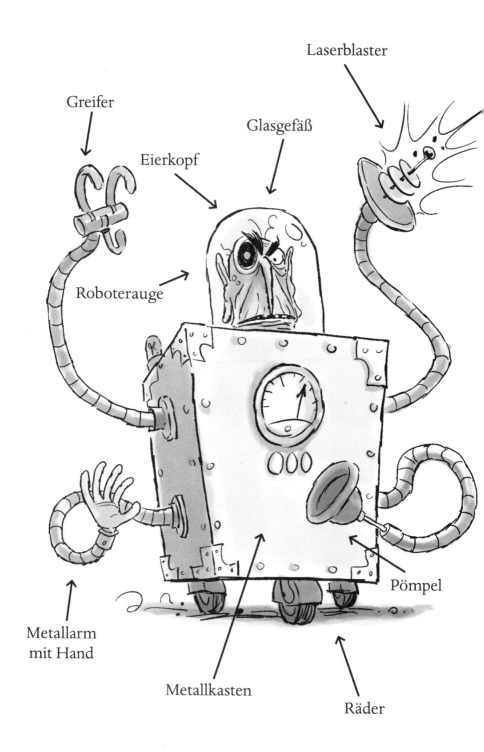

Laserblaster

Greifer

Eierkopf

Glasgefäß

Roboterauge

Metallarm
mit Hand

Pömpel

Metallkasten

Räder

Wirklichkeit aber war es ein Kopf. Ein menschlicher Kopf. Der kahle Kopf eines alten Mannes. Eines seiner Augen war schwarz mit einem roten Licht in der Mitte.

Ein Roboterauge!

Ruth fragte sich, ob der Mann tot war. Aber das andere Auge blinzelte, und die Lippen bewegten sich. Dann sagte der Mann mit breitem deutschen Akzent: «Nein, Mr. President! Spaceboy gehört MIR!»

Ruth, Juri und Spaceboy begannen vor Angst zu zittern.

Dieser Mann war zutiefst **UNHEIMLICH.**

35. KAPITEL

EINE DUNKLE WENDUNG

Wer sind Sie?», fragte Ruth, die plötzlich den Drang verspürte, ihren neuen Freund Kevin (auch bekannt als Spaceboy) beschützen zu müssen.

Juri sprang von ihrem Arm und bellte den Eindringling an.

«WAU! WAU!»

Einer der Metallarme an der Seite des Kastens zielte in seine Richtung und feuerte einen Stromstoß ab.

ZING!

«WAUTSCH!», jaulte Juri, der seinem Frauchen sofort wieder auf den Arm sprang. Ruth drückte ihren kleinen Liebling an sich.

«Tun Sie meinem Hund nicht weh!», rief sie.

«Wenn er mich das nächste Mal anbellt, erlöse ich ihn für immer von seinem Elend!», erwiderte der Kopf im Glas mit einem **FINSTEREN** Lächeln.

Der **Präsident** kletterte betreten von seinem Schreibtisch. Er näherte sich dem Halb-Mensch-halb-Roboter-Wesen und streckte den Arm aus, um einem der metallenen Anhängsel die Hand zu schütteln, überlegte es sich dann aber anders. Womöglich bekam er dann auch einen Stromschlag ab!

«Willkommen im **WEISSEN HAUS, Dr. Bock!**», sagte der **Präsident**.

«Ich heiße Schock! Nicht Bock!»

«Nun, willkommen im **WEISSEN HAUS**, Doktor!»

«Mein erstes und hoffentlich auch letztes Mal», erwiderte der Kopf, der sich verächtlich im Oval Office umsah. «Dieser blaue Teppich passt überhaupt nicht zu den gelben Vorhängen! IGITT!»

«Spaceboy, darf ich dir Doktor …»

«Ich stelle mich selber vor!», fauchte der Kopf. «Ich bin **Dr. Schock.** Schock, nicht Bock! S.C.H.O.C.K.! Schock! Als kleiner Junge habe ich nur von Raketen geträumt.»

«Ich auch», flötete Ruth.

«Ich war bereits mit zwei Jahren ein wissenschaftliches Genie und kletterte die Karriereleiter der militärischen

Forschung schnell nach oben. Vor zwanzig Jahren befand sich die Welt im Krieg. Der Führer selbst beauftragte mich, eine streng geheime Raketenbombe zu entwickeln. Was waren das für sorgenfreie, glückliche Tage. Aber dann, eines Nachts, explodierte versehentlich eine meiner Raketen. **KABUMM!** Alle Wissenschaftler in meinem Geheimlabor kamen ums Leben. Alle, außer mir. Dem großen, unverwüstlichen **Dr. Schock!** Man fand nur meinen Kopf und meinen kleinen Zeh, aber ihr seht, haben sie mich perfekt wieder zusammengesetzt.»

Bei diesen Worten vollführte **Dr. Schock** auf seinen Rädern eine kleine Drehung, wobei er einen Stuhl umstieß.

PLONG!

«Nachdem der Krieg verloren war, schlossen die Amerikaner einen Deal mit mir.»

«Gewonnen, oder?», erwiderte der **Präsident**.

«Bitte unterbrechen Sie mich nicht!»

«Entschuldigung, Dr. Bock, ich meine **Schock!**»

«Der amerikanische Geheimdienst erklärte mir, dass man mich nicht vor Gericht stellen würde, wenn ich mich bereit erklärte, an ihrem Raumfahrtprogramm mitzuarbeiten. Mein Raketentraum war noch lebendig! Aber im Augenblick sind die Russen den Amerikanern um Jahre voraus. Sie haben bereits einen Menschen ins All gebracht. **JURI GAGARIN.**»

Juri, der Hund, nickte.

«Das Raumfahrtprogramm braucht also deine Hilfe, Spaceboy. Du musst mir alles verraten, was du über das **interplanetarische** Reisen weißt.»

Ruth wurde **rot** wie eine Tomate. Plötzlich hatte Spaceboys Lüge eine dunkle, gefährliche Wendung genommen. Dieses wissenschaftliche Genie würde die Sache bestimmt sofort durchschauen. Ruth drehte sich zu ihrem neuen Freund um. Sie sah Schweißperlen unter seinem Helm heruntertropfen.

«Und wenn er nicht will?», fragte Ruth.

«Dann bringe ich Spaceboy in mein Speziallabor, wo wir sein **Alien**-Gehirn entfernen und untersuchen können. Auf diese Weise wird er sicher alle seine Geheimnisse preisgeben …»

«EINVERSTANDEN!», zirpte Spaceboy mit einer viel höheren Stimme als zuvor. «ICH HELFE IHNEN FURCHTBAR GERN!»

«Siehst du, das war doch gar nicht so schwer, oder?», gurrte der Wissenschaftler. «Und jetzt, einfach nur, um sicherzugehen, dass ich mit einer echten **außerirdischen** Lebensform spreche, wärst du bitte so freundlich und nimmst deinen Helm ab?»

36. KAPITEL

HALB MENSCH – HALB ROBOTER

War das Spiel aus? Alle Augen richteten sich auf Spaceboy. Sobald er seinen Helm abnahm, würden alle Bescheid wissen. Dass er in Wirklichkeit nur ein Junge aus Nirgendwo war. Ein Junge namens Kevin. Das war das Schlimmste daran. Spaceboy war so nervös, dass ihm ein quietschiger kleiner Furz entwich.

PFFT!

Dann sagte er mit der **tiefsten,** gruseligsten **Alien**-Stimme, die er zustande brachte: «ICH DARF MEINEN HELM NIEMALS ABNEHMEN. EURE IRDISCHE LUFT WÜRDE MICH UMBRINGEN.»

«Diese Furzluft bringt mich um», zischte Ruth.

«Pst!», zischte Spaceboy.

«Ach, tatsächlich?», sagt **Dr. Schock** grübelnd. «Mit Ihrer Erlaubnis, Mr. President, bringe ich dieses Ding nach **CAPE CANAVERAL**, ins **NASA**-Raumfahrtzentrum.

286

Wir sind ganz kurz davor, unsere erste amerikanische Rakete ins All zu schießen.»

«Aber alle Ihre Raketen sind abgestürzt, **Dr. Bock!**», erwiderte der **Präsident**.

«SCHOCK! Danke, dass Sie mich daran erinnern!», schnaubte das Wesen, das halb Mensch, halb Roboter war. «Aber ich bin zuversichtlich, dass wir dank der Geheimnisse dieses intergalaktischen Reisenden die Russen für alle Zeiten überholen können!»

«Viel Glück!», flüsterte Ruth.

«Oh nein», murmelte Spaceboy leise vor sich hin.

«Wie war das?», fragte **Dr. Schock.**

«Ach, nichts!», antwortete Spaceboy mit zittrig-hoher Stimme, bevor er wieder in seinen **tiefen** Tonfall zurückfiel. **«NICHTS!»**

«Folge mir, Spaceboy!», befahl der Wissenschaftler. Seine Metallkiste schwang blitzschnell herum. Diesmal stieß er mit seinem längsten Metallarm einen der vielen Assistenten des **Präsidenten** um.

«UFF!»

PLUMPS!

Spaceboy nahm Ruths Hand und drückte sie fest. Beide nickten dem **Präsidenten** zu, der ihnen kläglich zulächelte, ehe sie dem Wissenschaftler aus dem **OVAL OFFICE** folgten.

Plötzlich hielt **Dr. Schock** abrupt inne. «NEIN!», brüllte er. «Das Mädchen und ihren elenden Hund können wir im Raumfahrtzentrum nicht gebrauchen. Sie müssen hierbleiben.»

«N-N-N-Nein!», widersprach Spaceboy. «WENN ICH MIT IHNEN GEHE, MÜSSEN RUTH UND JURI AUCH MITKOMMEN.»

Bei diesem Namen verzerrte der Wissenschaftler das Gesicht vor Wut.

«Juri?»

«J-j-ja», stotterte Ruth.

«Wie **JURI GAGARIN,** der erste Mensch im Weltraum? Der Russe?»

«Ja!»

Dr. Schock wirbelte herum, wobei er ein Bücherregal umriss.

KLONK!

Es fiel auf einen anderen Assistenten, der sofort das Bewusstsein verlor.

DONK!

«UFF!»

«Ich spucke auf den Namen **JURI GAGARIN**», höhnte **Dr. Schock** und spuckte kräftig aus.

«SPOTZ!»

Der Wissenschaftler hatte vermutlich auf den Boden gezielt, dabei aber einen Moment lang vergessen, dass sein Kopf in einem Glasgefäß eingeschlossen war. Seine Spucke landete stattdessen auf der Innenseite des Glases.

TROPF!

Dort begann sie langsam herunterzulaufen.

SPOINK!

Er versuchte, seine vier Arme zu betätigen, aber keiner reichte an das Glas heran.

«Wischt **auf der Stelle** diesen Auswurf weg, verflixt noch mal!», schrie er, als seien die anderen daran schuld.

Sämtliche Assistenten zückten ihre Taschentücher und stürzten sich auf das Glas. Aber da die Spucke an der Innenseite klebte, war alles hektische Wischen von außen vergeblich …

QUIETSCH! QUIETSCH! QUIETSCH!

… sie konnten einfach nichts tun.

«SCHERT EUCH WEG VON MIR, IHR NARREN!», brüllte **Dr. Schock.**

So schnell sie konnten, sprangen die Assistenten von ihm und seinem gefährlichen Metallkörper zurück.

«Dann sollen das Mädchen und der Hund eben mitkommen», sagte **Dr. Schock.**

Spaceboy hielt Ruths Hand ganz fest, und zusammen mit Juri folgten die beiden dem furchterregenden Mensch-Roboter aus dem **OVAL OFFICE**.

«Einen schönen Tag noch, Leute!», rief ihnen der **Präsident** hinterher.

37. KAPITEL

SPACEBOY-FIEBER

SCHWIRR!

Auf dem Rasen vor dem **WEISSEN HAUS** wartete ein *SUPERFLIEGER* der **NASA** auf unsere
Helden, um sie zum Raumfahrtzentrum in **CAPE
CANAVERAL** zu fliegen. Er sah aus wie ein Flugzeug
aus der Zukunft, ein Überschallflugzeug mit
leistungsstarken Triebwerken an den Flügeln, die es
ihm ermöglichten, senkrecht abzuheben. Eine Start-
bahn war nicht erforderlich. **Dr. Schock** passierte
Major Majors, der jetzt mit einem Eisbeutel auf
dem Kopf im Gras saß, und rollte mit seinem Metallkasten auf den *SUPERFLIEGER* zu. Sobald er ihn erreichte, aktivierte er einen Mechanismus, der ihn in
die Luft hob und ins Flugzeug lud.

Inzwischen hatte sich draußen vor dem Zaun des
WEISSEN HAUSES eine riesige Menschenmenge
versammelt. Leute ließen ihre Autos mitten auf der

Straße stehen und kamen herangeeilt. Schon bald starrte ein Meer von Gesichtern durch den Zaun. Männer, Frauen und Kinder drängten sich, um einen Blick auf diesen Besucher von einem anderen Planeten zu erhaschen. Mütter hoben ihre Babys in die Höhe, damit sie Zeuge dieses historischen Ereignisses sein konnten. Irgendjemand hielt sogar seinen Dackel hoch, der völlig uninteressiert dreinschaute.

Als Spaceboy mit flatterndem silbernem Umhang über den Rasen des **WEISSEN HAUSES** schritt, brandeten Schreie, Jubel und Rufe auf.

«JUHU!»

Der Lärm war ohrenbetäubend.

Es war das reinste SPACEBOY-FIEBER!

Immer wieder rief die Menge seinen Namen, klatschte und stampfte mit den Füßen.

«SPACEBOY! SPACEBOY! SPACEBOY!»

«Was soll ich tun?», zischte er Ruth zu.

«Keine Ahnung», zischte sie zurück. «Lächeln und winken! So machen es berühmte Leute!»

Spaceboy brachte zumindest ein Winken zustande. Was reichte, um die Menge völlig **AUSFLIPPEN** zu lassen.

«HURRA!»

«ICH LIEBE DICH, SPACEBOY!»

«ICH LIEBE DICH NOCH MEHR!»

«NEIN! ICH LIEBE DICH AM MEISTEN!»

In dem Moment, als Spaceboy, Ruth und Juri den **SUPERFLIEGER** erreichten, stürzte ein Schwarm von Reportern auf sie zu. Für einen kurzen Augenblick befürchtete Ruth, sie würden überrannt werden. Die Presseleute umzingelten das Trio, sodass sie nicht entkommen konnten, und richteten ihre Kameras und Mikrofone auf sie. Während die Kameras klickten und surrten, versuchte Ruth, sich so gut es ging hinter Spaceboy zu verstecken. Wenn sie im Fernsehen auftauchte, würde ihre böse Tante Dorothy genau wissen, wo sie war.

Die grausame alte Frau würde ohne Zweifel zum **WEISSEN HAUS** marschieren und sie am Ohr den ganzen Weg bis nach Hause schleifen. Und das war ein sehr langer Weg.

Die Rufe der Reporter wurden immer lauter.

«Spaceboy, wirst du unseren Planeten auslöschen?»

«Spaceboy, ist dies der erste Teil einer **Alien**-Invasion?»

«Spaceboy, wer hat das Universum erschaffen?»

«Spaceboy, hast du vor Tausenden von Jahren beim Bau der Pyramiden in Ägypten geholfen?»

«Spaceboy, was genau ist ein ‹**Dödel**›?»

«Spaceboy, isst du Hamburger?»

«Spaceboy, wen von den Beatles magst du am liebsten? John, Paul, George oder Ringo?»

«Spaceboy, bist du mit dem Mädchen von der Erde zusammen?»

Die Reportermeute verstummte. Ganz hinten in der Menge rief eine Stimme: «OH, OH!» Die anderen brachten sie zum Schweigen, weil sie unbedingt die Antwort hören wollten.

Das könnte der Knaller des Jahrhunderts werden! Eine Liebesgeschichte quer durch das Universum! Man stelle sich nur die Schlagzeilen vor!

Der Heiratsantrag!

Die Hochzeit!

Die Flitterwochen!

Die Kinder!

Halb Mensch, halb **Alien!**

«NEIN!», schrie Ruth aus Leibeskräften. «Wir sind nicht zusammen! Und das werden wir auch nie sein! Ich mag nämlich keine Jungs! Ich finde Jungs zum Kotzen!»

«OOOOOH!», riefen alle Reporter.

«NIEMALS!», stimmte Spaceboy zu. «ICH MAG AUCH KEINE MÄDCHEN. BEI IHNEN MUSS ICH … SPACE-KOTZEN!»

«LANGWEILIG!», rief einer.

«GIB IHR TROTZDEM EINEN KUSS! DAS WÄRE SO EIN SCHÖNES FOTO!», meldete sich ein anderer.

«NEIN!», brüllte Ruth. «Ich küsse keine Jungs, nie und nimmer!»

«BUUUH!», buhte einer.

«DANN NIMM WENIGSTENS DEINEN HELM AB, SPACEBOY!»

«JA! VERSCHAFF UNS EIN TOLLES FOTO!»

«WIR WOLLEN EINFACH NUR DEIN **ALIEN**-GESICHT SEHEN!»

«IST ES RICHTIG KOMISCH UND **AUSSER-IRDISCH?**»

«NEIN!», brüllte Spaceboy zurück.

«QUATSCH!»

«MACH SCHON!»

«NUR GANZ KURZ!»

«BISSCHEN LOOKI-LOOKI MACHEN!»

«NUR EINMAL GRUNZEN! ICH MEINE LUNSEN!»

Plötzlich griff ein Meer von Händen nach Spaceboys Helm. Sie wollten das Gesicht des ersten **Außerirdischen** sehen, der auf der Erde gelandet war. Diese Geschichte war zu groß, um sie sich entgehen zu lassen.

Juri knurrte. «GRRR!»

Ruth versuchte, die Hände wegzuschlagen. «LASST IHN IN RUHE! ER KANN OHNE DEN HELM NICHT ATMEN!»

Aber es wurden immer mehr.

«NUR GANZ KURZ!»

«BISSCHEN ERDENLUFT WIRD IHM SCHON NICHT SCHADEN!»

«IST DOCH EGAL, OB ER STIRBT! ES WÄRE EIN TOLLES FOTO!»

Jetzt waren es zehn oder mehr Hände, die den Helm umklammerten, und es kamen immer mehr dazu. Spaceboy wehrte sich mit aller Macht dagegen, dass ihm der Helm vom Kopf gezogen wurde. Wenn seine Identität aufflog, saß er **KATASTROPHAL IN DER KLEMME.** Aber es war zwecklos. Er war einfach nicht stark genug für ein Tauziehen mit einem Dutzend Erwachsenen. Gerade als sein pickeliges Kinn zum Vorschein zu kommen drohte, hörte man einen **MÄCHTIGEN WUMMS.**

Der Großteil der Reporter wurde augenblicklich zu Boden geschleudert.

«AUTSCH!»

«UFF!»

«AAAH!»

«AU!»

«NIMM DEIN DICKES, FETTES HINTERTEIL VON MEINEM GESICHT!», rief ein Reporter, der in dem Haufen ganz unten lag.

Dr. Schock ragte über ihnen auf. Er war in die Menge hineingeprescht, um Spaceboy zu retten.

«Spaceboys Geheimnisse bleiben vorerst geheim!», verkündete der Wissenschaftler. «Und jetzt machen Sie Platz, oder ich bin gezwungen, von meinem Zubehör Gebrauch zu machen!»

Die Reporter wichen zur Seite, um den dreien Platz zu machen.

Ruth, Juri und Spaceboy bahnten sich ihren Weg zum **SUPERFLIEGER.**

Als sie beim Start aus dem Fenster schaute, sah Ruth, dass sich rund um das **WEISSE HAUS** Tausende von Menschen versammelt hatten. Der Verkehr war zum Erliegen gekommen. Die Leute kletterten auf ihre Autodächer, nur um Spaceboy zu sehen. Ruth stupste ihn an, damit er das, was unten vor sich ging, nicht verpasste. Ganz Washington, DC, stand still. Überall waren Menschen. Sie hingen aus den Fenstern. Kletterten auf Statuen. Standen auf den Dächern

hoher Gebäude. Alle winkten dem **SUPERFLIEGER**
zu, der immer höher und höher stieg.

«Diese Lüge ist wie ein Ballon. Sie wird immer
größer und größer», zischte Ruth.

«Und sie wird jeden Moment platzen», stimmte
Spaceboy ihr zu.

Juri hielt es nicht länger aus! Er legte die Pfoten über
die Augen.

VIERTER TEIL

HELDEN

38. KAPITEL

EIN HAUFEN TÜFTLER

In null Komma nichts erreichte der Überschall-**SUPERFLIEGER** der **NASA** das Raumfahrtzentrum in **CAPE CANAVERAL**. Der Weltraum und Weltraumraketen faszinierten Ruth, schon solange sie denken konnte, aber nie hätte sie sich träumen lassen, jemals hierherzukommen. Doch nun sah sie die himmelhoch aufragenden Raketen mit eigenen Augen. Bereit für Abenteuer. Bereit, ins Unbekannte vorzudringen, in die Unendlichkeit zu schießen.

Das Raumfahrtzentrum war Ruths **Traum.** Ihr *Paradies.* Ihr *Wunderland.*

Sie hatte in Tante Dorothys alten Zeitungen Fotos von Ausschnitten der Anlage gesehen, aber niemals hätte sie sich vorstellen können, wie riesig sie in Wirklichkeit war. Vom Himmel aus gesehen, war das Raumfahrtzentrum so groß wie eine ganze Stadt, und die Raketen ragten auf wie Wolkenkratzer.

Der **SUPERFLIEGER** flog im Bogen um eine Rakete herum und senkte sich dann auf den Boden ab. Auf dem Rollfeld wartete bereits eine Schar Raketentüftler.

WORAN MAN EINEN RAKETENTÜFTLER ERKENNT

Großer Kopf mit Platz für ein großes Gehirn

Wirres Haar

Borstige Haare in Nase und Ohren

Wirrer Blick

Brille mit Drahtgestell

Aufgereihte schwarze Kugelschreiber (leicht angekaut)

Buschiger Bart (kein Muss für Frauen)

Kekskrümel im Bart

Schwacher Geruch nach Rüben

Dreckige Fingernägel

Fliege mit Soßenflecken

Weißer Laborkittel

Unterschiedliche Socken

Latschen

Die Weltraumtüftler schauten alle so ernst, als hätten sie noch nie im Leben gelacht. Zu ihrem Leidwesen stand diese Ernsthaftigkeit in krassem Gegensatz zu ihren flatternden Laborkitteln und Haaren, die von den Supertriebwerken des **SUPERFLIEGERS** wild umhergeweht wurden.

WOMP!

Jetzt bedeckten Bärte die Gesichter, Perücken flogen davon, und Röcke blähten sich auf wie Ballons.

Ruth, Juri und Spaceboy stiegen mit **Dr. Schock** aus dem **SUPERFLIEGER.** Sobald die Plattform den Boden berührte, raste der Wissenschaftler geradewegs auf die Schar der Raketentüftler zu. Sie sprangen auseinander wie die Tauben.

«HIER ENTLANG!», rief **Dr. Schock.**

Kurz darauf betraten sie eine Kathedrale der Weltraumforschung.

«BOAH!», rief Ruth, als sie zur Tür hereinkam und den Anblick auf sich wirken ließ.

«Ist ein bisschen größer als die Scheune, in der ich meine fliegende Untertasse gebaut habe», flüsterte Spaceboy.

Das weiße Gebäude war länger als ein Fußballfeld und so hoch wie zehn Giraffen. Es hatte weiße Böden und weiße Wände, eine weiße Decke und war von strahlend weißem Licht erfüllt. Das einzige Bunte darin waren die rot-weiß-blauen Farben der riesigen amerikanischen Flagge, die am anderen Ende der Halle an die Wand gemalt war.

Wohin man auch sah, erblickte man etwas, das nicht **von dieser Welt** war:

Eine Nachbildung der Mondoberfläche samt Astronaut, Rakete und Mondbuggy ...

Ein riesiger Wassertank, in dem Menschen in Raumanzügen schwebten und den Aufenthalt in der Schwerelosigkeit des Weltalls übten ...

Ein Modell des Sonnensystems, das wie ein riesiges
Mobile von der Decke hing, jeder Planet so groß wie
ein Fußball …

Eine Reihe haushoher Computer, die ratterten, fiepten
und Unmengen von Daten ausspuckten …

Etwas, das aussah wie ein furchterregendes Karussell, bei
dem Menschen in Gondeln mit rasender Geschwindigkeit
um die eigene Achse geschleudert wurden, damit sie sich an
die G-Kräfte beim Abschuss gewöhnten …

Borde mit Monitoren, auf denen überwältigende
Satellitenaufnahmen vom Weltraum zu sehen waren …

Schauvitrinen mit riesigen Meteoriten,
die auf der Erde eingeschlagen waren …

Ein Gefrierschrank mit Glastür ... und darin stand
ein Tüftler in Unterhose, der vor Kälte mit den Zähnen
klapperte, am ganzen Leib zitterte und schon ganz blau
gefroren war. Der Mann stellte wohl Experimente über
die Eiseskälte im Weltraum an.

Entweder das, oder er hatte eine Packung Tiefkühl-
erbsen aus dem Gefrierschrank holen wollen, und
irgendwie war die Tür zugefallen ...

In der Mitte der Halle ragte eine nagelneue, glänzende **RAKETE** auf, die mit der Nase an die Decke stieß. Sie war das Schönste, was Ruth je gesehen hatte. Gleichzeitig gab die Rakete ihr das Gefühl, klitzeklein zu sein, aber das störte sie nicht im Mindesten. Es führte ihr nur noch deutlicher vor Augen, wie großartig so eine Weltraumrakete war, welche enorme wissenschaftliche Leistung es war, sie zu entwerfen, und welch ein Triumph der Technik, sie zu bauen. Schade war nur, dass sie nicht funktionierte.

Ganz am Ende entdeckten Ruth und Spaceboy etwas **ERSCHRECKENDES**: Man hatte sämtliche Teile von Spaceboys fliegender Untertasse auf Tante Dorothys Farm eingesammelt und hergebracht. Obwohl die Teile verkohlt und kaputt waren, stand ein Trupp Raketentüftler mit Werkzeugen in der Hand und auf Stehleitern balancierend um die Einzelteile herum. Sie bauten alles Stück für Stück wieder zusammen!

Spaceboy wurden die Knie weich. Einen Moment lang fürchtete Ruth, dass er *umfallen* würde. Sie streckte die Hand aus, um ihn zu stützen.

«Was ist los?», zischte sie.

«Das ist meine fliegende Untertasse!», flüsterte er zurück.

«Na und?»

«Wenn sie sie wieder zusammensetzen, finden sie bestimmt heraus, dass ich **nicht** aus dem Weltall komme.»

«Warum denn?»

«Weil das Ding von einem **Traktormotor** angetrieben wurde.»

«Ach ja», sagte Ruth, deren Magen vor Aufregung einen Purzelbaum schlug. «Ups!»

39. KAPITEL

GELIEFERT

Was gibt es da zu flüstern?», wollte **Dr. Schock** wissen.

Ohne dass Ruth und Spaceboy es bemerkt hatten, war er hinter ihnen herangerollt.

«Nichts!», flötete Ruth.

«Nun, ich hoffe doch sehr, dass Spaceboy bald etwas mitteilsamer wird», säuselte der Wissenschaftler. «Ich möchte, dass du alle deine Weltraumgeheimnisse mit uns teilst, mein **außerirdischer** Freund!»

«DIE GEHEIMNISSE DES WELTRAUMS WERDEN BALD IHNEN GEHÖREN», log Spaceboy mit seiner gruseligsten **Alien**-Stimme.

«Ausgezeichnet!», erwiderte **Dr. Schock**, ehe ihm einer der Forschungsleute einen Lautsprecher reichte. Er richtete sich zu seiner vollen Größe auf.

«HIER SPRICHT DOKTOR SCHOCK, TÜFTLER! DARF ICH UM EURE AUFMERKSAMKEIT BITTEN?»

Seine Stimme dröhnte durch die Halle, und sämtliche Tüftler hielten auf der Stelle inne und hörten ihm zu. Selbst der Mann, der in Unterhose im Gefrierschrank stand, hörte auf zu zittern.

«ICH MÖCHTE EUCH UNSEREN BESUCHER VORSTELLEN, DER DEN GANZEN WEG VON EINEM ANDEREN PLANETEN ZU UNS GEKOMMEN IST. SEIN NAME IST ... SPACEBOY!»

Die Raketentüftler applaudierten begeistert.

«SPACEBOY WIRD UNS HELFEN, DAS WETTRENNEN IM WELTRAUM GEGEN RUSSLAND ZU GEWINNEN!»

Riesiger Jubel brandete auf.

«HURRA!»

«UNSER GEHEIMDIENST MELDET, DASS DIE RUSSEN IN WENIGEN TAGEN IHRE NÄCHSTE RAKETE STARTEN WERDEN. TÜFTLER! ICH BIN FEST ENTSCHLOSSEN, DASS WIR UNSERE RAKETE SCHON VORHER ERFOLGREICH STARTEN WERDEN!»

«HURRA!»

«DIESES ALIEN IST UNSERE GEHEIMWAFFE!», dröhnte Dr. Schock weiter und zeigte mit einem seiner Roboterfinger auf Spaceboy.

«HURRA!»

313

«WIR WERDEN DEN WELTRAUM FÜR ALLE ZEITEN EROBERN!»

Das war eine kühne Behauptung, aber wie nicht anders zu erwarten, wurde sie von gewaltigem Jubel begrüßt.

«HURRA!»

Dr. Schock gab seinem Mitarbeiter den Lautsprecher zurück und wandte sich an Spaceboy.

«Jetzt bist du an der Reihe, Spaceboy», gurrte er. «Es wird Zeit, dass du deine Geheimnisse des **interplanetaren** Reisens mit mir teilst!»

40. KAPITEL

DIE TÜFTLER-ZENTRALE

Ruth wusste natürlich, dass Spaceboy nie von einem Planeten zum anderen gereist war. Seine fliegende Untertasse hatte bereits auf der benachbarten Farm eine Bruchlandung hingelegt! Wie lange konnten sie diese **Alien**-Maskerade noch aufrechterhalten? Je länger es funktionierte, desto schlimmer würde es werden, wenn man ihnen auf die Schliche kam.

Dr. Schock scheuchte Ruth, Juri (den sie auf dem Arm trug) und Spaceboy in etwas, das wie ein quadratischer Drahtkäfig aussah. In Wirklichkeit war es ein Fahrstuhl. Der Roboterarm des Wissenschaftlers streckte sich, seine Roboterhand öffnete sich, und ein Roboterfinger drückte auf einen Knopf. Dann ratterte der Fahrstuhl bis zur Spitze der *RAKETE,* die stolz mitten in der Halle stand.

SCHWIRR!
KLONG!

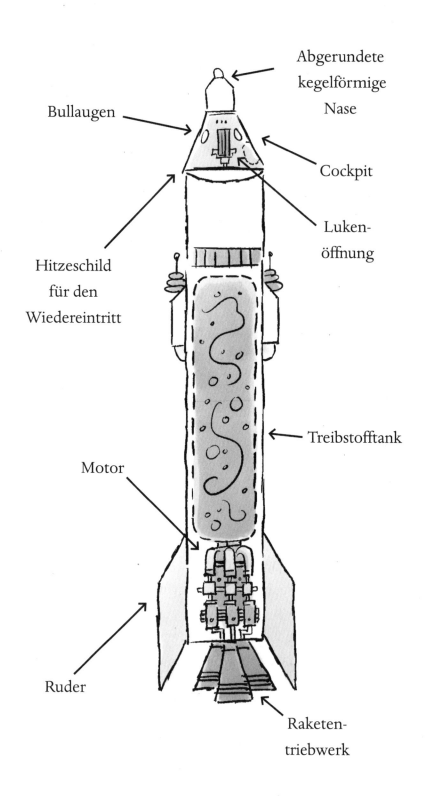

Abgerundete kegelförmige Nase

Bullaugen

Cockpit

Lukenöffnung

Hitzeschild für den Wiedereintritt

Treibstofftank

Motor

Ruder

Raketentriebwerk

«Mein größter Stolz. Das hier ist ein wahr gewordener Kindheitstraum. Ich präsentiere euch meine neueste Rakete», begann **Dr. Schock.** «Sie wurde gebaut, nachdem die letzte beim Start verunglückt ist. Genau wie die davor, die davor und die davor und immer so weiter.»

«Wie viele Ihrer Raketen sind denn abgestürzt?», fragte Ruth.

Die Lippen des Wissenschaftlers wurden schmal.

«Dreiundzwanzig.»

«Eigentlich waren es vierundzwanzig!», rief einer der Weltraumtüftler vom Fuß der Rakete herauf.

«ALSO SCHÖN! ALSO SCHÖN!», rief **Dr. Schock.** «VIERUNDZWANZIG!»

«Nein, ich habe gelogen. Da war noch der Absturz letzten Dienstag», korrigierte der Tüftler. «FÜNF-UNDZWANZIG!»

«Bietet irgendjemand mehr als fünfundzwanzig?», rief **Dr. Schock** wutschnaubend.

Unten warf der Weltraumtüftler einen prüfenden Blick auf sein Klemmbrett. «Nein. Fünfundzwanzig. Aber wenn diese hier auch abstürzt, sind es sechsundzwanzig!»

«DIESE HIER WIRD NICHT ABSTÜRZEN!», donnerte **Dr. Schock.** «UND DER SCHLAUMEIER DORT UNTEN KRIEGT KEINE KEKSE MEHR!»

Dann wandte er sich an den **Außerirdischen.**

«Also, Spaceboy, angesichts dessen, was du über dein eigenes Raumschiff weißt, was, würdest du sagen, ist der Fehler in meiner ansonsten genialen Konstruktion?»

Spaceboy spähte zur Spitze der Rakete.

«Nun?», fragte der Wissenschaftler.

«Ich glaube, ich weiß es», meldete sich Ruth. Sie liebte den Weltraum so sehr, dass sie nicht widerstehen konnte, diesem Albtraum von einem Mann zu helfen.

Die Augen des Wissenschaftlers fuhren zu ihr hinüber. «Aber du bist doch nur ein weibliches Mädchen! Was verstehst du schon von der Raumfahrt?»

«Ich habe sämtliche russischen Raketen studiert, vor allem die **WOSTOK 1,** mit der **JURI GAGARIN** ins All geschossen wurde. Und ich glaube, ich weiß, was Sie falsch machen.»

«Sprich weiter …»

«Die Nase ist zu rund.»

«Zu rund?», stammelte **Dr. Schock.**

«Ja!», piepste Spaceboy dazwischen, der für einen Moment seine gruselige **Alien**-Stimme vergaß. Dann erinnerte er sich wieder. «DAS ERDENMÄDCHEN HAT RECHT. DIE RUSSISCHEN RAKETEN SIND VORN ALLE GANZ SPITZ …!»

«Genau!», pflichtete Ruth ihm bei.

«Erinnert mich bitte daran, einem Teil meiner Raketentüftler **STROMSCHLÄGE** zu verpassen», antwortete **Dr. Schock.**

«Bitte nicht», sagte Ruth.

Im Handumdrehen waren sie wieder unten auf dem Boden. Von dort wurden sie in einen Bereich am anderen Ende der Halle gebracht, in dem es von Tüftlern nur so wimmelte.

Tüftler mit Schutzbrille und Lötlampe … Tüftler mit Schraubenziehern … Tüftlerinnen, die Raketenpläne zeichneten … Tüftler, die die Pläne begutachteten und sich über den Bart strichen … Tüftler, die

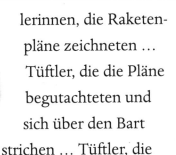

Kopfstand machten, damit mehr Blut in ihr Gehirn floss … Tüftlerinnen die eine Karte des Sonnensystems studierten … Tüftler, die sich die Nase putzten … Tüftler, die Kekse in ihren Tee tauchten …

Tüftler, die sich mit dem Kuli Ohrenschmalz aus den Ohren pulten und es, wenn keiner hinsah, aßen.

Es war die **TÜFTLER-ZENTRALE**. Der Ort, an dem die tüfteligsten aller Tüftler ihre Tüftlerköpfe zusammensteckten, um Tüftlerrätsel zu lösen, die nur Tüftler lösen können.*

Dr. Schock brüllte den Tüftlern Befehle zu.

«Leute, ich hatte gerade einen Geistesblitz! Einen Geistesblitz, der so genial ist, dass er eure erbärmlichen kleinen Tüftlergehirne zum Explodieren bringen wird. Der Raketenkopf darf nicht abgerundet sein, ihr dämlichen Fachidioten. Er muss spitz sein!»

Ruth seufzte. Noch ein nerviger Erwachsener. In der Zwischenzeit nahm Spaceboy einem der Tüftler die Lötlampe ab. «Ich brauche ein kleines Stück Metall, nicht größer als ein Küchenwerkzeug, das ich in Form löten kann.»

«Da weiß ich genau das Richtige!», jubelte Ruth und blickte auf Juris Schneebesenbein hinab.

«WAU!», protestierte dieser.

«Ich besorge dir einen neuen! Versprochen!»

«GRRR!», knurrte Juri, ehe er sich auf den Rücken rollte und Ruth den Schneebesen aushaken ließ.

«Ich danke dir, mein geliebtes kleines Fellknäuel»,

---

* Wenn du Sätze magst, in denen viele Tüftler erwähnt werden, ist dies das richtige Buch für dich. Tüftler, Tüftler, Tüftler.

sagte sie, während sie seinen Bauch kitzelte und den Schneebesen an Spaceboy weiterreichte.

Er machte sich sofort an die Arbeit.

BRUTZEL!

Kurz darauf hatte er das Metall geschmolzen und zu einer perfekten spitzen Raketennase geformt.

Jetzt musste sie nur noch befestigt werden.

Die Frage war ... würde es funktionieren?

41. KAPITEL

DIE NEUE NASE

Kurz darauf standen Ruth, Juri und Spaceboy zusammen mit **Dr. Schock** und einem Tüftler wieder oben auf der Plattform. Sämtliche Tüftler unten auf dem Boden hatten ihre Arbeit eingestellt. Eine unheimliche Stille legte sich über die Tüftler-Zentrale, während einer nach dem anderen den Kopf in den Nacken legte, um zuzuschauen, wie Spaceboy die neue Nase an die **RAKETE** lötete.

Das einzige Geräusch, das man hörte, war das Zischen der Lötlampe.

ZISCHEL! ZASCHEL! ZUSCHEL!

Funken regneten wie Feuerwerk von der Decke.

SPRITZ! SPRATZ! SPRUTZ!

Schließlich begutachtete Ruth Spaceboys Werk und nickte.

Juri bellte einverstanden.

«WAU!»

«ERLEDIGT, DOKTOR BOCK», verkündete Spaceboy mit seiner gruseligsten Stimme.

«‹SCHOCK!›»

«DOKTOR SCHOCK! ENTSCHULDIGUNG! JETZT WIRD IHRE RAKETE FLIEGEN!»

«Ausgezeichnet», sagte der Wissenschaftler. «Ausgezeichnet!» Er begann mit seiner einen Roboterhand zu klatschen, aber alles, was er damit erreichte, waren Schläge auf seinen eigenen Metallkörper.

DONG! DONG! DONG!

Egal, die Tüftler machten es mehr als wett, sie applaudierten und jubelten, so laut sie konnten.

«HURRA!»

«BEREITEN WIR DIE RAKETE FÜR DEN START VOR!», befahl **Dr. Schock.**

In diesem Moment entstand ein Tumult. Die riesigen Metalltore am Ende des Raumfahrtzentrums glitten auseinander.

RUMS!

Eine von **Major Majors** angeführte Menschenmenge stürmte herein.

«HALT!», rief der Soldat, der sich immer noch einen Eisbeutel an den Kopf drückte.

«WAS HAT DAS ZU BEDEUTEN?», donnerte **Dr. Schock.** Er konnte Unterbrechungen nicht ausstehen.

«DOKTOR SCHOCK!», rief **Major Majors** von unten hinauf. «Spaceboy ist nicht der, der er vorgibt zu sein! Dieser Mann hier kennt ihn!»

«Jawohl», sagte ein alter Mann und humpelte mit seinem Gehstock heran. «Er ist kein **Alien!** Er ist mein Enkelsohn!»

42. KAPITEL

BBBRRRRRRR!

GROSSVATER!», rief Spaceboy.

Der alte Mann unten auf am Boden hob seinen Stock und zeigte damit auf seinen Enkelsohn.

«KEVIN! Du hast aus meinem Traktor den Motor ausgebaut, um ihn in deine blöde fliegende Untertasse einzubauen! Warte, wenn ich dich in die Finger kriege!»

Der Großvater schlug mit seinem Stock durch die Luft, dass es pfiff.

WUSCH!

«STIMMT!», meldete sich einer der Tüftler zu Wort, der damit beschäftigt war, die fliegende Untertasse wieder zusammenzusetzen. «Dieses Ding stammt nicht aus dem Weltraum. Es wurde von einem Traktormotor angetrieben!»

Dr. Schocks Glasbehälter beschlug vor Wut.

«NIMM SOFORT DEN HELM AB, DU ANGEB-

LICHER WELTRAUM-JUNGE!», brüllte er. «ZEIG UNS DEIN GESICHT!»

Das Spiel war aus. Es gab nichts, was Spaceboy noch tun konnte. Er sah zu Ruth hinüber, die ihm zunickte. Juri nickte ebenfalls. Also nahm Spaceboy seinen Helm ab, und Kevin lächelte den Mann an.

«Oh! Ein Glück!», rief er mit seiner normalen, viel höheren Stimme. «Es war so heiß darunter! Hallo!»

«Komm mir bloß nicht mit Hallo! Du hast wohl gedacht, du könntest den großen **Dr. Bock,** ich meine **Schock,** zum Narren halten, was?»

Ruth zog eine Grimasse. «Na, das hat er doch, oder etwa nicht?»

«SCHWEIG!», befahl der Wissenschaftler.

«Aber das hat er doch.»

«Wir drei zusammen haben euch alle reingelegt», fügte Kevin hinzu.

«Aber mich nicht, Junge!», rief der Großvater. «Ich habe deine blöde Stimme im Fernsehen erkannt, als du mit dem **Präsidenten** gesprochen hast!»

«Hast du denn nicht gehört, was ich zu ihm gesagt habe?», wollte Kevin wissen.

«Was meinst du damit?»

«Du hast nicht zugehört. Ich habe gesagt, der Sinn

des Lebens ist es, kein **DÖDEL** zu sein. Aber du, Großvater, du bist ein **RIESENDÖDEL!**»

Niemand war überrascht, dass der Großvater fuchsteufelswild wurde.

«DU HAST HAUSARREST! FÜR DEN REST DEINES LEBENS!»

«Wenn ich Hausarrest habe», erwiderte Kevin, «warum stehe ich dann hier oben? Sieht nicht so aus, als stünde ich unter Arrest.»

«HA! HA!», gluckste Ruth. Sie genoss das Spektakel in vollen Zügen.

«Nun, mein Junge, du wirst dich vor der Polizei verantworten müssen! Ich habe nämlich den Sheriff mitgebracht!»

«DAS BIN ICH!», meldete sich der Sheriff zu Wort, dem die Donutkrümel nur so aus dem Mund flogen. «Hiermit verhafte ich dieses **Alien,** weil es sich fälschlicherweise als Mensch

ausgegeben hat! Oder war es andersherum?»

«RUUUUS!», schrie es plötzlich ganz hinten aus dem Pulk der Erwachsenen.

Ruth würde diese Stimme überall erkennen. Sie gehörte natürlich ihrer Tante Dorothy. «Ich habe dich in den Nachrichten gesehen, als du aus dem **WEISSEN HAUS** gekommen bist. Du kommst jetzt sofort da runter, du fiese kleine Made!»

«NEIN!», rief Ruth zu ihr hinunter.

«SOFORT HAB ICH GESAGT, RUUUUS», donnerte Tante Dorothy. «DU HAST EBENFALLS HAUSARREST!»

«UND ICH HAB NEIN GESAGT. N.E.I.N., also NEIN!» Um ihren Worten mehr Nachdruck zu verleihen, tat Ruth das, was jedes trotzige Kind gern tat. Sie holte tief Luft, streckte die Zunge heraus und prustete mit aller Kraft:

«BBBRRRRRRRRRRR!»

Es regnete Spucketropfen auf die unten stehenden Erwachsenen.

«IGITT!», beschwerte sich **Major Majors.** «Mutter hat gerade erst meine Orden poliert!»

«ICH WERDE MICH AN EUCH DREIEN RÄCHEN!», brüllte **Dr. Schock.** «Gib her!», sagte er und riss Kevin mit einem seiner Roboterarme die Lötlampe aus der Hand. Er drehte am Regler, sodass die Flamme mit voller Wucht herausschoss.

WUSCH!

Sie schoss so weit heraus, dass sie die Haare an Juris Hintern versengte.

«JAUTSCH!», jaulte der kleine Hund und sprang Ruth auf den Arm.

Dann fuhr **Dr. Schock** ein Stück zurück, um mit Anlauf, oder besser mit Anrollen, auf die drei loszufahren.

SAUSSS!

Weil er nicht aufpasste, fuhr er den Tüftler um.

BUFF!

Der arme Mann flog von der Plattform.

«AAAH!», schrie der Tüftler, als er durch die Luft segelte.

Zum Glück fingen ihn ein paar andere Tüftler auf.

«Das war Ihr Tüftler!», rief Ruth. «Er hätte umkommen können!»

«Keine Sorge. Ich habe noch mehr», antwortete **Dr. Schock.** «Und jetzt macht euch darauf gefasst zu sterben!»

SAUSSS!

Im nächsten Moment raste der Mensch-Roboter los, direkt auf Ruth, Juri und Kevin zu! Sie würden jeden Moment von der Plattform geschleudert werden und als riesiger Fleck unten auf dem Boden landen.

«KOMM», rief Ruth, die blitzschnell nachdachte. Sie nahm Kevins Hand und sprang mit ihm auf die Nase der Rakete, wo sie um das neue spitze Ende herumbalancierten.

RUMS!

Sie landeten auf den Füßen, obwohl Ruth sogar Juri noch im Arm hielt. Die gerade angelötete Raketennase war noch so **glühend** heiß, dass es fast unmöglich war, darauf zu stehen.

«AUTSCH! AUTSCH! AUTSCH!», schrie Ruth, als ihre ausgelatschten Lederstiefel zu schmoren begannen.

BRUTZEL!

Sie konnte nichts anderes tun, als von einem Fuß auf den anderen zu springen. Kevin tat das Gleiche. Es sah aus, als würden sie einen flotten Stepptanz aufführen.

TIP! TAP!

TIP! TAP!

Was **Dr. Schock** anging, waren die Bremsen seiner Räder nicht ganz so gut geölt, wie sie sein sollten. Sie gaben ein fürchterliches Geräusch von sich, als er sie mit aller Kraft anzog.

KREEEEEIIIIISCH!

Aber es reichte nicht.

Der Wissenschaftler sauste seitlich über den Rand der Plattform.

SAUSSS!

«FANGT MICH AUF, TÜFTLER!», schrie er, als er in die Tiefe stürzte.

WUSCH!

Doch die Tüftler waren nicht umsonst Tüftler. Tüftler waren schlau. Also sprangen sie, so schnell sie konnten, aus dem Weg. **Dr. Schocks** Roboterkörper schlug hart auf den Boden.

KNIRSCH!

Er zerbrach in so viele Stücke, dass in jeder Ecke der Halle irgendetwas von ihm landete.

KLING! KLONG! KLUNG! KLANG!

Der Kopf des Wissenschaftlers wurde mitsamt dem Glasgefäß von einem geschickten Tüftler aufgefangen.

«VIELEN DANK, TÜFTLER», sagte **Dr. Schock.**
«UND JETZT, LEUTE, bewaffnet euch mit allem, was ihr finden könnt, und vernichtet sie!»

Also begann sich die Tüftler-Truppe mit allem zu bewaffnen, was sie finden konnte. Zu ihren Waffen gehörten …

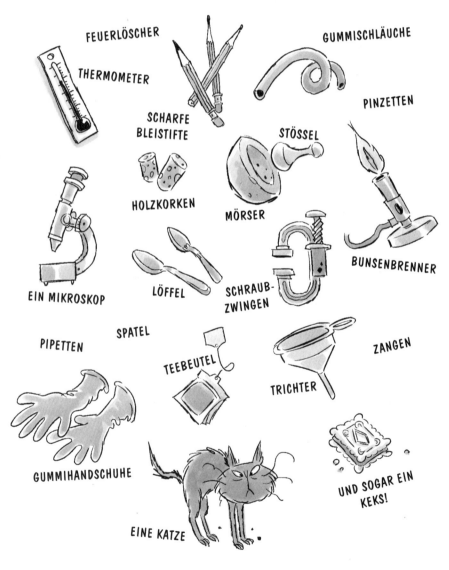

FEUERLÖSCHER

GUMMISCHLÄUCHE

THERMOMETER

PINZETTEN

SCHARFE BLEISTIFTE

STÖSSEL

HOLZKORKEN

MÖRSER

BUNSENBRENNER

EIN MIKROSKOP

LÖFFEL

SCHRAUB-ZWINGEN

PIPETTEN

SPATEL

ZANGEN

TEEBEUTEL

TRICHTER

GUMMIHANDSCHUHE

UND SOGAR EIN KEKS!

EINE KATZE

Es war ein ganz schönes Arsenal, auch wenn der Keks gegessen wurde, ehe er als Waffe dienen konnte.

KNIRSCH!

«AUSGEZEICHNET!», verkündete **Dr. Schocks** Kopf im Glas. «UND JETZT SOFORT IN DEN AUFZUG! VERNICHTEN WIR SIE!

FÜR ALLE ZEITEN!»

43. KAPITEL

DER TÜFTLER-POPO

Auf Befehl von **Dr. Schock** zwängten sich sämtliche Tüftler in den Fahrstuhl, und auch die anderen Erwachsenen drängten sich mit hinein. Der Drahtkäfig war bald zum Bersten voll. Alle Erwachsenen waren nun so zusammengepfercht, dass niemand mehr wusste, wessen Arm oder Bein wem gehörte. Schon bald kratzten sie sich aus Versehen gegenseitig am Kopf, strichen einander über die Bärte und fassten dem anderen in die Nase.

Während Ruth, Juri und Spaceboy auf der heißen Raketenspitze herumtanzten, blieb der Fahrstuhl unten auf dem Boden.

In seinem Inneren herrschte eine unangenehme Stille, die schließlich von **Dr. Schocks** Kopf im Glas durchbrochen wurde. «Herrje! Wir können hier nicht den ganzen Tag herumstehen! Drück endlich jemand auf den Knopf!»

«Das würde ich ja, wenn mir der Popo dieses Tüftlers nicht im Weg wäre!», erklang ein gedämpfter Ruf.

«Das ist nicht mein Popo! Es ist deiner!», kam ein weiterer Ruf, was auch nicht gerade hilfreich war.

Schließlich und endlich wurde der Knopf mit einer Tüftlernase gedrückt.

DOING!

«AUA!»

… und der Fahrstuhl begann seinen Aufstieg.

«IHR HABT KEINE CHANCE!», schrie **Dr. Schock,** als sich der Fahrstuhl langsam der Plattform näherte.

«Schnell! In die **RAKETE!»,** rief Ruth.

«W-w-was?!», stotterte Kevin.

«Hier unten auf der Erde hält uns nichts mehr. Willst du wirklich bei deinem lausigen alten Großvater bleiben? Komm schon – davon haben wir beide doch unser Leben lang geträumt.»

«Du meinst, wir sollen mit dem Ding in den Weltraum fliegen?»

«Jep!»

«Aber wir wissen doch gar nicht, wie das geht!», wandte Kevin ein.

«Es gibt nur einen Weg, es rauszufinden!»

«Du bist verrückt!»

«*Ich* bin verrückt?», fauchte Ruth. «Du hast deine

eigene fliegende Untertasse gebaut und bist damit losgeflogen!»

«Dann bin ich wohl auch verrückt.»

«Und genau deshalb mag ich dich. Deshalb sind wir Freunde.»

«Das sind wir doch, oder?», fragte Kevin.

«Klar», sagte Ruth. «Ob **Alien** oder nicht. Du bist der verrückteste Typ, dem ich je begegnet bin!»

«Du bist hier die Verrückte!»

«Wir sind beide verrückt! Verrückt ist gut!»

Gleich würde die Fahrstuhltür aufgehen und Hunderte wütende Erwachsene ausspucken.

«Jetzt oder nie», sagte Ruth.

«Tun wir's!»

«WUFF!», stimmte Juri zu.

Also tänzelten sie gemeinsam seitlich zum Cockpit hinunter. Dann stemmten sie die Einstiegsluke auf.

Der Fahrstuhl hatte nun das Ende der Plattform erreicht.

KADUNK!

Die zerknautschten Gesichter von **Major Majors,** Tante Dorothy, Großvater, dem Sheriff, verschiedenen Tüftlern und **Dr. Schocks** Kopf im Glas starrten zu ihnen hinüber.

Die Fahrstuhltür glitt auf.

KLONG!

Die Erwachsenen taumelten auf die Plattform und stürmten auf Ruth, Juri und Kevin zu. Die Tüftler schwangen ihre gesammelten Waffen.

Gerade als unsere drei Helden in der Kapsel verschwinden wollten, geschah das Unglück! Es gelang dem Großvater, seinen Enkelsohn am Knöchel zu packen. Er zerrte mit aller Kraft.

«HILFE!», schrie Kevin.

Ruth drehte sich um und packte Kevins Handgelenke.

Nun begann ein tödliches Tauziehen zwischen ihr und dem alten Mann. Wenn sie beide auf einmal losließen, würde Spaceboy, der eigentlich Kevin hieß, in die Tiefe stürzen und zu **Splatschboy** werden.

«Steht nicht einfach so da!», befahl **Dr. Schock.** «HELFT DEN LIEBEN GROSSELTERN!»

Also bildeten die Tüftler, **Major Majors,** Tante Dorothy und der Sheriff hinter dem Großvater eine Menschenkette. Sie begannen mit aller Kraft zu ziehen. Ruth war zwar stark, aber gegen die Kraft von zwanzig Erwachsenen kam sie nicht an.

Ganz langsam wurde Kevin auf die Plattform zurückgezerrt.

«Sie haben mich!», schrie er. «Rette dich, Ruth!»

«Ohne dich gehe ich nirgendwohin!», schrie sie zurück.

«TU DOCH WAS, JURI!»

Der kleine dreibeinige Hund war superschlau und wusste genau, was zu tun war. Er sprang von Ruths Schulter, humpelte blitzschnell über Spaceboys Arme, Rücken und Beine und landete schließlich auf der Plattform. Dann drehte er sich um. Sein Kopf befand sich nun direkt vor dem Hinterteil des Großvaters. Juri riss das Maul weit auf und … SCHNAPP!

Mit seinen scharfen Zähnen biss er dem alten Mann kräftig in den Hintern.

SCHNAPP!

«AUUUU!», schrie der alte Mann gepeinigt. Vor Schreck ließ er die Knöchel seines Enkels los, und die ganze Menschenkette brach zusammen. Sämtliche Erwachsenen purzelten übereinander.

«UFF!»

«AUTSCH!»

«AAAH!»

Ruth hievte Kevin zurück ins Cockpit, aber nun steckte Juri drüben auf der Plattform fest.

«WAU!», bellte der kleine Hund.

Tante Dorothy packte ihn am Schwanz.

«JAUU!», winselte er.

Während Juri sich mit Zippeln und Zappeln von ihr loszureißen versuchte, quetschte die böse alte Frau seinen Schwanz.

«WAU! WAU! WAU!»

«Das Mädchen ist viel zu weichherzig, um ohne ihr Hündchen irgendwo hinzugehen», verkündete Tante Dorothy.

Sie hatte recht.

Ruth war hin- und hergerissen. Sie hielt es bei diesen schrecklichen Erwachsenen auf der Erde keine Sekunde länger aus, aber ihren geliebten Juri bei ihnen zu lassen, war ausgeschlossen.

«Komm schon, du Heulsuse!», rief Tante Dorothy.

Hilfe suchend, streckte Ruth den Kopf aus der Cockpittür.

«Und was machst du jetzt?», fragte Tante Dorothy.

Ruth verabscheute ihre Tante aus tiefstem Herzen. Die Frau hatte getan, was sie konnte, um ihr das Leben zur Hölle zu machen. Ruth war fest entschlossen, sie nicht gewinnen zu lassen. Weder heute noch jemals.

Ohne einen Gedanken an ihre eigene Sicherheit zu verschwenden, sprang Ruth mit einem riesigen Satz von der **RAKETE** zurück auf die Plattform. *HOPP!*

«Gib mir meinen Hund zurück!», verlangte sie.

«NIEMALS!», entgegnete Tante Dorothy.

Juri zappelte und knurrte.

«GRRRRR!»

Die Tüftler umringten das Mädchen und schwangen ihre Waffen.

Es war eine Pattsituation!

«SPACEBOY!», rief Ruth.

«Eigentlich heiße ich Kevin, aber ja?», antwortete der und streckte den Kopf aus dem Cockpit.

«BEREIT MACHEN FÜR DIE *ZÜNDUNG!*»

«Aber das würde euch alle umbringen!», widersprach er.

«ICH HAB GESAGT:

BEREIT MACHEN FÜR DIE ZÜNDUNG!

DAS IST EIN BEFEHL!»

44. KAPITEL

ZÜNDUNG

Kevin machte ein entsetztes Gesicht, zog sich aber ins Cockpit zurück.

Kurz darauf begann die Rakete ein tiefes, dröhnendes Geräusch von sich zu geben.

DDDDDRRRRR!

Im nächsten Moment ertönte aus einem Lautsprecher eine roboterhafte Stimme.

«ALLE RAKETENSYSTEME BEREIT!», verkündete sie. «ZÜNDUNG ERFOLGT IN EINER MINUTE. COUNTDOWN LÄUFT!»

Die Tüftler begannen hektisch im Kreis zu laufen.

«WIR MÜSSEN HIER WEG!»

«UND ZWAR SCHNELL!»

«SCHNELLER ALS SCHNELL!»

«DIESER GANZE ORT VERWANDELT SICH GLEICH IN EIN INFERNO!»

«ZUM FAHRSTUHL!»

Alle zwängten sich hinein und rissen **Major Majors,** Tante Dorothy, den Sheriff und Großvater mit. Als Tante Dorothy abgedrängt wurde, riss Ruth ihr Juri aus der Hand und drückte den Hund fest an sich.

«Jetzt verpasst uns niemand mehr Hausarrest», erklärte sie.

«Ihr werdet sterben, wenn ihr mit dem Ding aufsteigt!»

«Das ist mir egal. Es war schon immer mein **TRAUM,** mich in den Weltraum zu schießen und dich weit hinter mir zu lassen. Und meine **TRÄUME** gehören mir und nur mir allein! Die kannst du mir nicht wegnehmen! Leb wohl für immer, du fieses altes Krokodil!»

«ZISCH!», knurrte das alte Reptil.

«JETZT DRÜCK UM HIMMELS WILLEN JE-MAND AUF DEN KNOPF!», ertönte ein Schrei aus dem Fahrstuhl.

Ein Tüftlerpopo drängte sich an das Bedienfeld, und der Fahrstuhl setzte sich surrend in Bewegung.

«zündung erfolgt in fünfundvierzig sekunden, countdown läuft weiter!», dröhnte die Roboterstimme durch das Raumfahrt-zentrum.

Der Aufzug fuhr nun nach unten, und im Inneren waren ungeduldige Rufe zu hören.

«KANN DAS DING NICHT SCHNELLER FAHREN?»

«LASS DEN KNOPF GEDRÜCKT!»

«HAT DA GERADE EIN TÜFTLER GEFURZT?»

«JA. TUT MIR LEID. DAS WAR ICH. DAS SIND DIE NERVEN.»

«DER IST MIR GERADEWEGS IN DIE NASE GE-STIEGEN, DU STINKTÜFTLER!»

«ZÜNDUNG ERFOLGT IN DREISSIG SE-
KUNDEN, COUNTDOWN LÄUFT WEITER!»

Ruth wollte mit Juri gerade wieder auf die Rakete hinüberspringen, als eine Stimme sie aufhielt.

«Viel Glück», sagte jemand.

Ruth drehte sich um. Es war der Kopf von **Dr. Schock.** Der Tüftler musste den Glasbehälter in der ganzen Aufregung fallen gelassen haben. Das Gefäß war zerbrochen und der Kopf herausgerollt. Nun lag er da wie ein frisch geangelter Fisch, der seine letzten Atemzüge tat.

«Wie bitte?», fragte Ruth.

«Viel Glück», sagte der Kopf noch einmal.

«Äh, danke», sagte Ruth, ziemlich erschrocken über den zärtlichen Tonfall des bösen Genies.

«Als Junge war es **MEIN TRAUM,** mit einer selbst gebauten Rakete ins Weltall zu fliegen. Aber dieser Traum wird heute mit mir zusammen sterben. Er gehört jetzt dir. Bewahre ihn dir.»

«Das mache ich. Versprochen.»

«Vergesst nicht, den **ROTEN KNOPF** zu drücken, sobald ihr das Weltall erreicht. Dadurch wird der Treibstofftank abgeworfen. Ansonsten zerbricht die Rakete, und ihr kommt ums Leben!»

«Danke», erwiderte Ruth, die sich nicht sicher war, ob sie ihm glauben sollte oder nicht.

«Es wird wunderschön sein dort oben im All. Es ist eine Schönheit, die nie vergeht.»

«Genau wie das Universum selbst.»

«So ist es. Das wird das Abenteuer eures Lebens!»

«zündunq erfolqt in fünfzehn sekunden, countdown läuft weiter!»

Unten ging die Fahrstuhltür auf, und die Erwachsenen flohen aus dem Raumfahrtzentrum schneller als jede Rakete.

«BEEIL DICH, RUTH!», rief ihr Freund aus dem Cockpit.

«Auf Wiedersehen, **Dr. Bock,** ich meine **Schock**», sagte sie.

«Leb wohl, Miss Ruth!»

«zündunq erfolqt in zehn sekunden, countdown läuft weiter!»

Mit Juri im Arm nahm Ruth Anlauf.

WUSCH!

Sie sprangen gemeinsam von der Plattform und landeten oben auf der Rakete.

KLONG!

Allerdings verlor Ruth bei der Landung das Gleichgewicht und taumelte.

«HILF IHR! SPACEBOY!», rief **Dr. Schock.**

Im nächsten Moment lugte Kevins Kopf aus dem Cockpit.

Ruth und Juri kippten gerade nach vorn …

«AAAH!»

«WAU!»

… da packte er ihre Hand.

Mit aller Kraft zog er sie hoch …

… und ins Cockpit.

«ZWEI!»

Gerade noch rechtzeitig schloss er die Luke der Kapsel.

**«EINS!
ZÜNDUNG!»**

45. KAPITEL

DER ROTE KNOPF

Das Cockpit war ein enger, kegelförmiger Raum mit zahllosen Knöpfen, Reglern und Anzeigen.

«Schnall dich an!», schrie Kevin über das Dröhnen der Rakete hinweg. «DIE G-KRÄFTE WERDEN DER HELLE WAHNSINN SEIN!»

Und das wurden sie wirklich. Der Druck beim Start mit dieser Geschwindigkeit verwandelte die Gesichter unserer drei Helden in **MUS.**

VORHER

NACHHER

Spaceboy und Ruth schafften es gerade noch, ihre Gurte zu schließen.

KLICK! KLICK!

Die Rakete durchbrach die Decke des Raumfahrtzentrums.

KARACKS!

Die aus den Schubdüsen schlagenden Flammen verbrannten alles, was sich unter ihnen befand.

WOMP!

So muss sich eine Kugel fühlen, wenn sie abgefeuert wird, dachte Ruth.

Sie schaute aus einem der seitlichen kleinen Bullaugen und winkte ihrer Tante Dorothy zum Abschied zu.

«Ich hab Hausarrest, ja?», schrie sie.

Nicht, dass Tante Dorothy eine Chance gehabt hätte, Ruth im Getöse der Rakete zu hören. Aber sie blickte immer noch wütend nach oben und schüttelte die Faust. Jetzt konnte das alte Krokodil Ruth nichts mehr anhaben. Niemand auf der Erde konnte das. Sie fühlte sich zum ersten Mal in ihrem Leben schwerelos. **Schwerelos**, weil nichts und niemand sie mehr belastete und weil die Rakete die Erdatmosphäre durchstoßen hatte und nun geradewegs ins Weltall schoss.

Die Rakete begann heftig zu vibrieren.

KLAPPER!

ES FÜHLTE SICH AN, ALS WÜRDE DAS GANZE DING
IN EINE MILLION STÜCKE ZERBRECHEN.

«DER R-R-ROTE K-K-K-KNOPF!»

«W-W-WAS?»

«**Dr. Schock** HAT GESAGT, WIR MÜSSEN DEN **ROTEN KNOPF** DRÜCKEN,
UM DIE TREIBSTOFFTANKS ABZUSTOSSEN. ANSONSTEN ST-ST-STERBEN WIR!»

«DAS KÖNNTE EINE F-F-FALLE SEIN!»
«DAS H-H-HAB ICH AUCH GEDACHT!», ERWIDERTE RUTH
MIT ANGSTVOLLER MIENE.

«Vielleicht aktiviert der **ROTE KNOPF** die Selbstzerstörung der Rakete.»

«Glaubst du?»

«Raketen haben immer einen Selbstzerstörungsknopf. Drück drauf, und das ganze Ding fliegt dir **um die Ohren!**»

«Aber es fühlt sich gerade so an, als würde uns das Ding um die Ohren fliegen, wenn wir **nicht** draufdrücken!»

«Wenn ich doch nur wüsste, was wir machen sollen!», schrie Kevin in dem Getöse. «Das einzige Raumschiff, das ich je geflogen habe, war eine selbst gebaute fliegende Untertasse.»

«Die auf der Stelle abgestürzt ist.»

«Das ist jetzt nicht der richtige Zeitpunkt, Ruth!»

«Drücken wir zusammen auf den **ROTEN KNOPF!»,** schlug Ruth vor. «Wenn das Raumschiff in die Luft fliegt, ist keiner schuld.»

«Klingt einleuchtend!», erwiderte Kevin mit einem Grinsen.

KLAPPER! KLAPPER! KLAPPER!

«Eins! Zwei! DREI! Los!», rief Ruth.

Aber mit ihren kurzen Kinderarmen kam keiner von ihnen an den Knopf heran.

«NEIN!», schrie Ruth, die mit ihrem Gurt kämpfte.

«WIE KOMMEN WIR AUS DIESEN DINGERN WIEDER RAUS?», fragte Kevin, der an seinem Gurt zerrte.

KLAPPER! KLAPPER! KLAPPER!

Während Ruth weiter mit den Riemen und Schnallen rang, ließ sie Juri los.

Er schwebte durch das Cockpit und paddelte mit seinen drei kleinen Beinchen durch die Luft.

Plötzlich hatte Ruth einen Gedankenblitz. Der

Hund konnte es tun! «JURI! DRÜCK AUF DEN
ROTEN KNOPF!»

KLAPPER! KLAPPER! KLAPPER!

Juri stieß sich oben von der Kapsel-
decke ab, sodass er direkt auf den
ROTEN KNOPF zuschwebte.

Dann stupste er mit der
Nase dagegen.

DONG!

46. KAPITEL

IN DIE UNENDLICHKEIT

Eine halbe Ewigkeit lang geschah gar nichts.

Dann gab es einen Ruck, und sie spürten, wie sich etwas ablöste. Ein Blick aus dem Bullauge bestätigte, dass die riesigen Treibstofftanks nun ins All hinausschwebten.

Das Vibrieren hörte augenblicklich auf. Zum ersten Mal seit Langem schien alles ruhig zu sein. Sicher. Still. Als könnte nichts und niemand ihnen etwas anhaben.

«Also hat Schock die Wahrheit gesagt», sagte Kevin.

«Ja», erwiderte Ruth. «Ich schätze, er wollte, dass das Wunder des Weltraums wenigstens irgendjemandem gehört. Selbst wenn wir das sind!»

«SIEH DIR NUR DIE ERDE AN!», rief Kevin.

Ruth folgte seinem Blick. Jetzt sah auch sie eine erstaunlich kleine, aber wunderschöne blaue und grüne Kugel, die mitten im Weltraum schwebte.

«Boah», sagte sie und riss staunend den Mund auf.

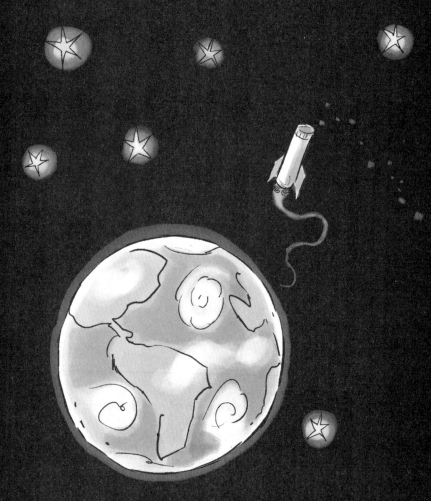

«Sie ist schöner, als ich es mir je hätte vorstellen können.»

«Ja, das ist sie. Findest du es nicht verrückt, dass die Erwachsenen, die dort unten das Sagen haben, sich ständig bekämpfen und streiten?»

«Ja», stimmte Ruth zu. «Von hier oben sieht die Erde so friedlich aus.»

«Glaubst du, diese **Dödel** würden sie weiter mit Kriegen zerstören wollen, wenn sie sehen könnten, wie vollkommen sie ist?»

«**Niemals!** Nicht in einer Million Jahren. Du hattest die ganze Zeit über recht …»

«Sei kein **Dödel!**», sagten sie wie aus einem Mund.

«WAU!», stimmte Juri ihnen zu, während er weiter durch die Luft paddelte.

«Wohin?», fragte Kevin.

«Drehen wir eine schnelle Runde durch das Universum, Spaceboy.»

Der Junge lächelte. Er mochte diesen Namen. «Hört sich perfekt an … Spacegirl!»

Ruth wurde rot. Sie liebte es, Spacegirl genannt zu werden!

Spaceboy zog an der Lenksäule, während Spacegirl ein Pedal betätigte, um zu beschleunigen. Spacedog schlug mit seinem wedelnden Schwanz auf einen blinkenden blauen Knopf und …

WUSCH!

Schon *sausten* unsere drei Helden gemeinsam in die Unendlichkeit.

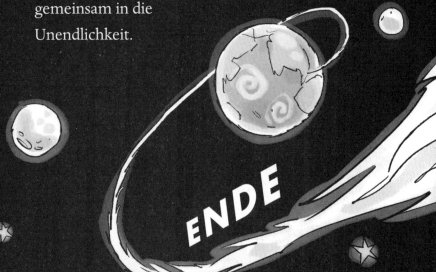

ENDE

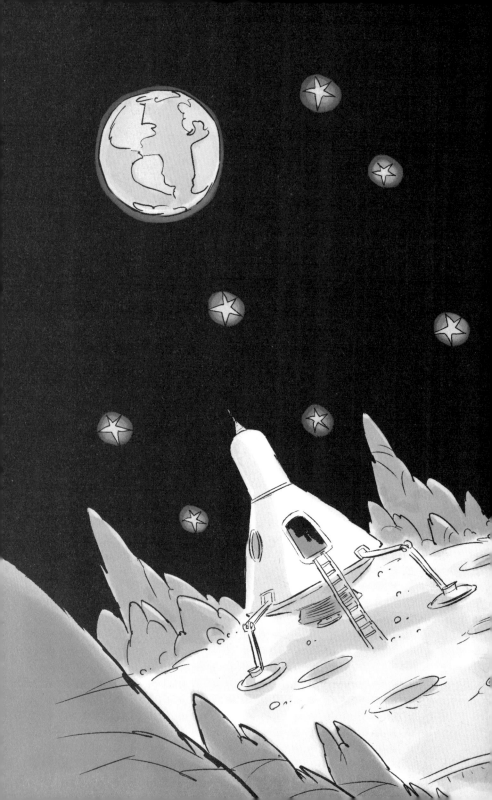

DER WETTLAUF INS ALL

Spaceboy ist eine erfundene Geschichte von David Walliams, aber den Wettlauf ins All hat es wirklich gegeben. Hier ist eine Zeitleiste mit zehn Schlüsselmomenten des Wettrennens zwischen der Sowjetunion und den Vereinigten Staaten von Amerika. Der Wettlauf ins All begann Mitte der 1950er-Jahre und dauerte bis zum Zusammenbruch der Sowjetunion im Jahr 1991.

Oktober 1957

SOWJETUNION. Der erste künstliche Erdsatellit, Sputnik 1, wird in die Umlaufbahn der Erde befördert.

November 1957

SOWJETUNION. Ein Hund namens Laika umkreist als erstes Tier die Erde und ebnet damit den Weg für die menschliche Raumfahrt. Laika zu Ehren befindet sich heute ein kleines Denkmal in Moskau.

Januar 1958

USA. Vanguard 1, der erste solarbetriebene Erdsatellit, wird in die Erdumlaufbahn befördert. Heute ist er der älteste Satellit im All.

August 1959

USA. Der Satellit Explorer 6 nimmt aus dem Orbit das erste Foto von der Erde auf.

September 1959

SOWJETUNION. Die Luna 2 ist das erste Raumschiff, das die Oberfläche des Mondes erreicht. Einen Monat später, im Oktober, sorgt Luna 3 für große Aufregung, als sie zum ersten Mal Fotos von der nie zuvor gesehenen Rückseite des Mondes aufnimmt.

Januar 1961

USA. Im Rahmen des Mercury-Projekts wird der Schimpanse Ham als erster Menschenaffe in den Weltraum befördert. Der Flug dauerte sechzehn Minuten und dreißig Sekunden. Nach seiner Weltraummission lebte Ham siebzehn Jahre lang im Zoo von Washington, DC.

April 1961

SOWJETUNION. Juri Gagarin – Ruths Held und Vorbild für den Namen ihres Hundes – fliegt als erster Mensch in den Weltraum. Bei seiner Rückkehr zur Erde wird Gagarin als Berühmtheit und Nationalheld gefeiert.

Mai 1961

USA. Nur drei Wochen nach den Sowjets führt Alan Shepard mit dem Raumschiff Freedom 7 den ersten bemannten US-Raumflug durch. Die Mission startete von Cape Canaveral – wo auch das Weltraumabenteuer von Ruth und Spaceboy beginnt.

Juni 1963

SOWJETUNION. Die Kosmonautin Valentina Tereschkowa fliegt als erste Frau ins All. Sie umkreist die Erde achtundvierzigmal und ist bis heute die einzige Frau, die einen Alleinflug ins All unternommen hat.

Juli 1969

USA. Mit der Apollo 11 landen die ersten Menschen auf dem Mond: der Kommandant Neil Armstrong und der Pilot der Mondfähre Buzz Aldrin. Der erste Schritt auf die Mondoberfläche wird auf der ganzen Welt live im Fernsehen übertragen: «Das ist ein kleiner Schritt für einen Menschen, aber ein riesiger Sprung für die Menschheit.»